LA FORCE DE L'ORDRE

– D'après un texte original de Didier Fassin –

SCÉNARIO

Didier Fassin et Frédéric Debomy

DESSIN ET COULEUR

Jake Raynal

Je remercie le commissaire qui a pris le risque d'autoriser cette enquête, ainsi que les policiers qui ont accepté que soit porté sur leurs pratiques un regard extérieur. J'exprime ma gratitude aux éditeurs qui en ont soutenu et accompagné les publications, Hugues Jallon et Bruno Auerbach naguère, Séverine Nikel et Louis-Antoine Dujardin pour le présent projet. Et je dédie ce livre à tous ceux qui subissent au quotidien le harcèlement, les humiliations, les brimades, parfois même les violences et le racisme des forces de l'ordre, et qui, aujourd'hui, parviennent enfin à faire entendre leurs voix.

Didier Fassin

Frédéric Debomy, aux éditions Cambourakis :
- *Sur le fil. Dix ans d'engagement pour la Birmanie* - dessin de Benoît Guillaume et Sylvain Victor
- *Birmanie. De la dictature à la démocratie ?* - ouvrage collectif
- *Le Vertige* - dessin d'Edmond Baudoin
- *Birmanie. Fragments d'une réalité* - dessin de Benoît Guillaume
- *Full Stop. Le génocide des Tutsi du Rwanda* - dessin d'Emmanuel Prost

Du même auteur, aux éditions Le 9e Monde :
- *Suite bleue* - dessin de Louis Joos
- « *Saxo 1 et 2* », dans *Taches de jazz* - dessin d'Edmond Baudoin

Du même auteur, aux éditions Massot :
- *Aung San Suu Kyi, Rohingya et extrémistes bouddhistes* - dessin de Benoît Guillaume

Du même auteur, aux éditions Albin Michel :
- *Une vie silencieuse* - dessin de Louis Joos

Du même auteur, aux éditions Don Quichotte :
- *Résistances. Pour une Birmanie libre* - Aung San Suu Kyi, Stéphane Hessel et Info Birmanie (sous la direction de F. Debomy)

Du même auteur, aux éditions Les Cahiers dessinés :
- *Turquoise* - dessin d'Olivier Bramanti

Du même auteur, aux éditions Reflets d'ailleurs :
- « Chroniques de Rangoun », dans *Nouvelles de Birmanie* - ouvrage collectif

Du même auteur, aux éditions Buchet/Chastel :
- *Birmanie. Des femmes en résistance* - préface de Shirin Ebadi

Du même auteur, aux éditions de l'Atelier :
- *Aung San Suu Kyi, l'armée et les Rohingyas* - postface d'Amnesty International

Du même auteur, aux éditions Gallimard :
- « Le Génocide des Tutsi et la télévision française », dans *Les Temps Modernes*, n° 680
- « Controverses autour d'Aung San Suu Kyi et de la situation des Rohingyas », dans *Les Temps Modernes*, n° 698

Du même auteur, aux éditions Textuel :
- *Finkielkraut, la pensée défaite*

Didier Fassin, aux éditions du Seuil :
- *La Raison humanitaire. Une histoire morale du présent*
- *La Force de l'ordre. Une anthropologie de la police des quartiers*
- *L'Ombre du monde. Une anthropologie de la condition carcérale*
- *Punir. Une passion contemporaine*
- *La Vie. Mode d'emploi critique*
- *Mort d'un voyageur. Une contre-enquête*

Du même auteur, aux Presses universitaires de France :
- *Pouvoir et maladie en Afrique. Anthropologie de la banlieue de Dakar*
- *L'Espace politique de la santé. Essai de généalogie*

Du même auteur, aux éditions Karthala :
- *Les Enjeux politiques de la santé. Études sénégalaises, équatoriennes et françaises*

Du même auteur, aux éditions La Découverte :
- *Quand les corps se souviennent. Expériences et politiques du sida après l'apartheid*

Du même auteur, aux éditions Flammarion :
- *L'Empire du traumatisme. Enquête sur la condition de victime* (avec Richard Rechtman)

Du même auteur, aux éditions Fayard :
- *De l'inégalité des vies*

Jake Raynal, aux éditions Fluide Glacial :
- *Combustion spontanée*
- *Les Nouveaux Mystères*

Du même auteur, aux éditions Les Rêveurs :
- *Esprit frappeur*

Du même auteur, aux éditions Casterman :
- *Cambrioleurs - Les Oiseaux de Proie*
- *Cambrioleurs - Les Hommes-Léopards*

Du même auteur, aux éditions du Lombard :
- *Les Situationnistes* - scénario de Christophe Bourseiller

Du même auteur, aux éditions La Découverte :
- *La Septième arme* - scénario de David Servenay

Du même auteur, aux éditions Cornélius :
- *Francis*, tome 1 à 7 - dessin de Claire Bouilhac

Éditeurs : Louis-Antoine Dujardin (pour les Éditions Delcourt) & Séverine Nikel (pour les Éditions du Seuil)

Dépôt légal : octobre 2020. ISBN : 978-2-413-01295-5

Conception graphique : Studio Delcourt/Soleil

Achevé d'imprimer en janvier 2021
sur les presses de l'imprimerie Lesaffre, à Mouscron, Belgique

www.editions-delcourt.fr

Une enquête ethno-graphique

Par des artifices que je trouve toujours fascinant de décoder,
les bandes dessinées disaient ce qui n'aurait pas pu être dit autrement.
Edward Said, *Hommage à Joe Sacco*, 2001.

À l'origine de ce livre, il y avait une enquête ethnographique classique dont l'objectif était de mieux comprendre ce que faisait la police dans les quartiers populaires durant une période, le milieu des années 2000, où il devenait de plus en plus évident que les interactions entre les forces de l'ordre et les habitants, surtout lorsqu'il s'agissait d'hommes jeunes, souvent issus de familles immigrées, étaient sources de violences et de drames. Ce fut notamment le cas en 2005 à Clichy-sous-Bois et en 2007 à Villiers-le-Bel, deux épisodes parmi tant d'autres au cours desquels plusieurs personnes ont trouvé la mort. Mais plutôt que ces moments tragiques, ce que je cherchais à appréhender, c'était l'ordinaire du travail de la police et de ses relations avec son public — ce que, précisément, l'enquête ethnographique permettait.

L'ethnographie est une pratique des sciences sociales qui comporte une triple dimension. Elle est d'abord une méthode consistant à passer une longue période de temps à partager le quotidien de celles et ceux que l'on étudie afin d'essayer de mieux les comprendre : c'est ainsi que je me suis immiscé pendant quinze mois dans l'activité, principalement de patrouille à pied ou plus souvent en voiture, de policiers d'une grande circonscription de sécurité publique de la région parisienne. Elle est ensuite l'expérience d'une réalité que l'on ne connaissait pas, et surtout de relations que l'on noue avec des personnes qui ont accepté la présence parmi elles d'un chercheur : dans le cas de ces policiers, notamment ceux de la brigade anti-criminalité, il s'agissait pour moi de participer en observateur attentif à leur routine, depuis les conversations autour d'un café jusqu'aux interventions sur le terrain, en interférant le moins possible avec leur action, ce qui impliquait notamment d'éviter de manifester mes opinions et mes sentiments, même lorsque leur façon d'agir me troublait. Elle est, enfin, une écriture qui peut s'exprimer dans des articles, des livres, des films, des photographies par lesquels on tente de communiquer ce que l'on a compris : jusqu'à une période très récente, la bande dessinée ne faisait pas partie des supports possibles, et le présent ouvrage marque à cet égard une volonté d'innovation.

Passer des quatre cents pages denses d'un livre de sciences sociales à la centaine de planches d'une bande dessinée, de scènes racontées et de lieux décrits à des cases qui les donnent à voir, des analyses de situations complexes et des discussions autour de questions théoriques à une succession d'images qu'accompagnent occasionnellement phylactères et cartouches — faire, en somme, d'une ethnographie classique une enquête ethno-graphique originale : tels sont l'enjeu et l'ambition de cette réécriture de *La Force de l'ordre*.

Elle est née du hasard d'une rencontre. Coïncidence remarquable, un dessinateur, Jake Raynal, et un scénariste, Frédéric Debomy, m'ont contacté avec ce projet au moment même où je commençais à y réfléchir de mon côté sur la suggestion de Bruno Auerbach, éditeur de sciences humaines au Seuil. Très rapidement, nous avons constaté la convergence de nos vues, en particulier sur l'importance accordée au réalisme de la représentation, à l'encontre de tentatives récentes d'introduire de la fiction, et sur la nécessité de restituer la dimension sociologique de l'enquête à travers, et même au-delà, des illustrations. En ce qui me concerne, j'avais assurément sous-estimé le volume de travail que cette traduction — qui est en fait bien plutôt une re-création — impliquait, notamment en termes de retours dans mes notes de terrain, de recherches iconographiques pour reproduire les sites, les personnages et leurs attributs le plus fidèlement possible, de compositions pour donner sens à la fois aux événements et à leur contexte, et bien sûr d'échanges nourris pendant plus de trois années d'intense collaboration. Le savoir-faire graphique de Jake Raynal, les propositions scénaristiques de Frédéric Debomy, les observations de Bruno Auerbach et les conseils de Louis-Antoine Dujardin, éditeur chez Delcourt, ont été cruciaux dans ce processus.

Lorsque ce projet a été conçu, le recours à la bande dessinée comme mode de transmission d'une recherche en sciences sociales, et singulièrement d'une étude ethnographique, m'est apparu prometteur à deux titres. D'abord, il ouvre de tels travaux à des publics nouveaux et des dialogues inédits : les ouvrages universitaires, même lorsqu'ils sont écrits pour des audiences larges, ne touchent au mieux que quelques dizaines de milliers de lecteurs et, dans le cas du présent volume, n'atteignent probablement même pas la plupart de celles et ceux dont il est question et auxquels ils s'adressent plus particulièrement. Ensuite, il permet d'explorer des modes renouvelés d'écriture posant des questions inhabituelles au chercheur : il invite à réfléchir sur la manière de raconter sans réduire le propos à une succession d'anecdotes, de montrer les protagonistes du récit en s'abstenant de les caricaturer, d'exposer des faits d'interprétation difficile en évitant d'en simplifier la lecture, de rappeler visuellement et textuellement la présence de l'ethnographe pour éviter l'illusion d'objectivation, et finalement de travailler une autre manière d'exprimer les vérités d'un monde social — en l'occurrence, celui des forces de l'ordre dans les quartiers populaires.

Pour désigner cet objet nouveau qui s'apparente à ce qu'est le roman graphique dans le domaine littéraire, j'ai donc proposé de parler, par analogie, d'enquête ethno-graphique, dénomination qui ne se distingue de celle ayant cours dans les sciences sociales que par un simple trait d'union. Un signe orthographique qui, pourtant, jette un pont virtuel entre l'univers de la recherche et l'univers de la création.

Ce qu'aucun d'entre nous n'aurait pu prévoir quand nous nous sommes engagés dans cette collaboration, c'est la place qu'a prise, dans l'espace public international, la question de la police, de ses violences, de son racisme, de l'impunité de ses abus par les magistrats et du déni de ses dérives par le pouvoir, à la suite de la mort de George Floyd aux États-Unis. Les observations qui, treize ans plus tôt, avaient été décrites comme excessives par les représentants et les spécialistes des forces de l'ordre se trouvaient confirmées par ce que la société française découvrait peu à peu à travers les images, les témoignages, les révélations et les enquêtes. Ressuscitées par la forme ethno-graphique, elles retrouvent aujourd'hui, grâce à des mobilisations en quête de justice et de vérité, une troublante actualité.

D.F., juin 2020

31 DÉCEMBRE 2006. 19 HEURES.
30

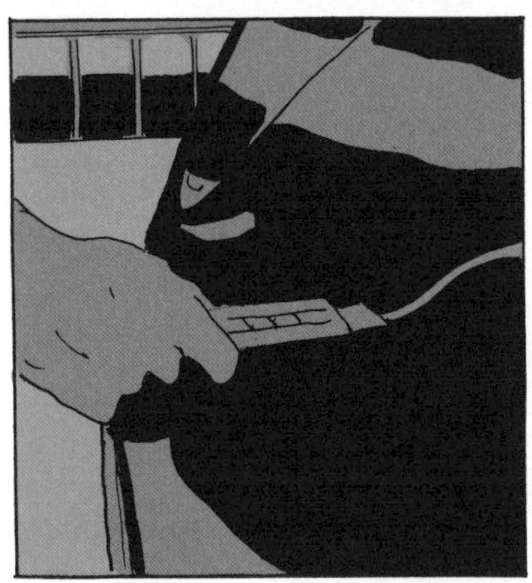

?
B13 U

?!

B13 U

BONSOIR. VOS PAPIERS !

QU'EST-CE QUE VOUS FAITES ICI À CETTE HEURE-LÀ ?
ON ATTEND NOTRE BUS, M'SIEUR.
POLICE

POLICE NATIONALE

BOUGEZ PAS DE LÀ, ON VÉRIFIE VOS IDENTITÉS.
POLICE

TU PEUX ME DIRE SI T'AS QUELQUE CHOSE SUR TROIS ADOS QU'ON VIENT DE CONTRÔLER ?
POLICE
POLICE

CRS

POLICE
MAINTENANT, VOUS N'ALLEZ PLUS NOUS LA FAIRE, HEIN ?
QU'EST-CE QUE VOUS FOUTEZ LÀ ?
POLICE

ON VOUS L'A DÉJÀ DIT, M'SIEUR.
EH BAH, C'EST PAS GRAVE. TU VAS RÉPÉTER.

POLICE
ON ATTEND LE BUS POUR ALLER À UNE SOIRÉE.

CRS

VOUS POUVEZ DEMANDER AUX CRS QUI SONT DANS LE CAR LÀ-BAS. ILS SONT PASSÉS DEVANT NOUS TOUT À L'HEURE. ILS PEUVENT VOUS DIRE QU'ON ÉTAIT LÀ ET QU'ON N'A RIEN FAIT.
TA GUEULE !

C'EST BON. ON LES EMBARQUE.

POLICE

ÇA FAIT MAL, M'SIEUR !
C'EST P'TÊT QUE JE LES AI MISES À L'ENVERS.

POLICE

VOUS SAVEZ POURQUOI VOUS ÊTES LÀ ?
NON, M'SIEUR.

ALLEZ, FAITES PAS SEMBLANT.
MAIS, ON N'A RIEN FAIT, M'SIEUR.
POLICE

DE TOUTE FAÇON, ON SAIT QUE C'EST VOUS, ALORS VOILÀ CE QUI VA SE PASSER. ON VA VOUS METTRE EN GARDE À VUE PENDANT 24 HEURES.

VOUS VOULEZ CONNAÎTRE VOS DROITS ? VOUS POUVEZ DEMANDER UN AVOCAT OU UN MÉDECIN ET COMME VOUS ÊTES MINEURS, ON VA MÊME APPELER VOS PARENTS.

BIIP
BIIIP

C'EST MON PÈRE QUI M'APPELLE, M'SIEUR.
BIIP
BIIIP

T'AS QU'À DÉCROCHER POUR LUI RÉPONDRE !
POLICE

POLICE

POLICE
NATIONALE
T'AS VU, À CHAQUE VIRAGE, IL FAISAIT EXPRÈS DE NOUS TOMBER DESSUS.
POLICE

TU LES ENREGISTRES.
POLICE

TIENS, LES SINGES SONT DE SORTIE ?

VOUS EN FAITES PAS, LES GARS ! SI VOUS N'AVEZ RIEN À VOUS REPROCHER, VOUS ALLEZ BIENTÔT POUVOIR SORTIR.
ALLEZ, ON LES PREND UN PAR UN.

TON COUSIN VIENT D'AVOUER. TU FERAIS MIEUX DE RECONNAÎTRE CE QUE VOUS AVEZ FAIT.
C'EST PAS POSSIBLE, M'SIEUR ! IL A PAS PU AVOUER, ON N'A RIEN FAIT.

POLICE

ALLEZ, AU BOCAL !
POLICE

POLICE

ÇA PUE LA PISSE, LÀ-DEDANS !

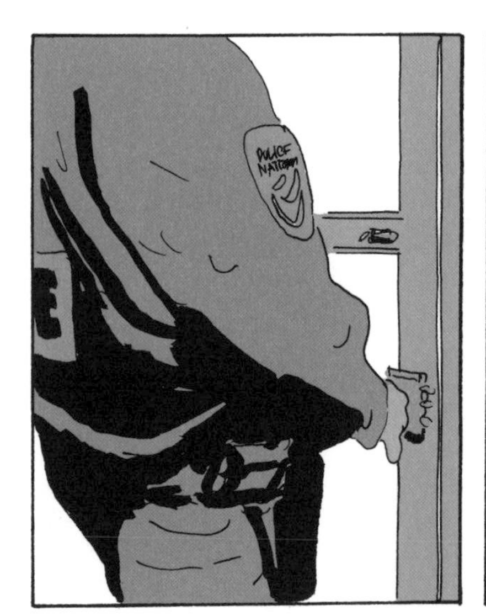
POLICE NATION
POLICE

POLI

FACE À LA VITRE !
POLICE

POLICE

POLICE

ÉCOUTE, ON SAIT QUE TES COPAINS ONT FAIT UNE CONNERIE. LA VICTIME LES A RECONNUS.
ALORS DE DEUX CHOSES L'UNE. SOIT TU NOUS DIS QUE T'ÉTAIS PAS AVEC EUX, ET ALORS ON TE LIBÈRE. SOIT TU NOUS DIS QUE T'ES RESTÉ TOUT LE TEMPS AVEC EUX, ET ALORS ON TE COFFRE.

MAIS J'PEUX PAS DIRE ÇA. J'SUIS RESTÉ TOUT LE TEMPS AVEC EUX, M'SIEUR.

POLICE
ALORS C'EST QUE T'ES COUPABLE. ON VA TE METTRE EN GARDE À VUE AVEC TES POTES.

LA RECHERCHE DANS LE STIC, ÇA DONNE QUOI ?
ILS SONT INCONNUS DES SERVICES.
ALORS ON APPELLE LEURS PARENTS POUR QU'ILS VIENNENT LES CHERCHER.

CE SONT LES PÈRES DES GAMINS.

NOUS AVONS REÇU UNE PLAINTE POUR DÉGRADATION DE VÉHICULE PRÈS DE L'ENDROIT OÙ VOS ENFANTS ATTENDAIENT LE BUS. UNE VOITURE A EU SA PORTIÈRE RAYÉE.

MAIS LA VICTIME A DÉCLARÉ QU'ILS PORTAIENT TOUS DES TENUES SOMBRES. ELLE N'A PAS RECONNU CELUI QUI A LE SWEAT RAYÉ.

ILS ONT EU DE LA CHANCE QU'IL N'ÉTAIT PAS HABILLÉ EN GRIS !

POLICE

CETTE SCÈNE RESSEMBLE À BIEN D'AUTRES AUXQUELLES J'AI ASSISTÉ AU COURS DE L'ENQUÊTE QUE J'AI MENÉE SUR LA POLICE DANS LA BANLIEUE PARISIENNE ENTRE LES MOIS DE MAI 2005 ET JUIN 2007.
ELLE NE SERAIT DONC QU'UNE OBSERVATION DE PLUS DANS MON CARNET DE TERRAIN SI L'UN DES TROIS GARÇONS N'AVAIT ÉTÉ MON FILS.

DE TELS ÉPISODES SONT EN EFFET LE QUOTIDIEN DES QUARTIERS POPULAIRES. ET IL ARRIVE QUE CERTAINES INTERPEL-LATIONS TOURNENT AU DRAME, COMME À CLICHY-SOUS-BOIS EN 2005.
MON ENQUÊTE AVAIT COMMENCÉ QUELQUES MOIS PLUS TÔT. ELLE S'ACHEVA PEU AVANT UNE AUTRE TRAGÉDIE, CETTE FOIS À VILLIERS-LE-BEL.

CLICHY-SOUS-BOIS, 27 OCTOBRE 2005, 17H00.
POUR ZYED, BOUNA ET LEURS COPAINS QUI RENTRENT CHEZ EUX, IL EST HORS DE QUESTION DE MANQUER L'HEURE DE LA RUPTURE DU JEÛNE.
ON PASSE PAR LE CHANTIER.

ILS IGNORENT QU'UN VOISIN, INQUIET DE LES VOIR SUR LE SITE DE CONSTRUCTION, A APPELÉ LA POLICE.
COURS ! COURS !

ILS SONT EN TRAIN DE S'INTRODUIRE SUR LE SITE EDF. S'ILS ENTRENT, JE DONNE PAS CHER DE LEUR PEAU !

SEUL L'UN DES TROIS ADOLESCENTS SURVÉCUT À L'ÉLECTRO-CUTION.
DANGER DE MORT
DEFENSE ABSOLUE D'ESCALADER OU DE PENETRER

LE MINISTRE DE L'INTÉRIEUR DÉCLARA QUE LES ADOLESCENTS N'ÉTAIENT PAS POURSUIVIS PAR LA POLICE ET QU'ILS ÉTAIENT IMPLIQUÉS DANS UN CAMBRIOLAGE.

L'ENQUÊTE ÉTABLIT QUE LES DEUX AFFIRMATIONS ÉTAIENT FAUSSES.
MORTS POUR RIEN

TROIS JOURS PLUS TARD, LE JET MALENCONTREUX D'UNE GRENADE LACRYMOGÈNE DANS LA MOSQUÉE VOISINE ACHEVA DE METTRE LE FEU AUX POUDRES.

TRÈS VITE, DES ÉMEUTES ÉCLATÈRENT SUR PRESQUE TOUT LE TERRITOIRE NATIONAL.

LE 8 NOVEMBRE, LE PREMIER MINISTRE DÉCRÉTA L'ÉTAT D'URGENCE.
PENDANT CETTE PÉRIODE, MA RECHERCHE FUT INTERROMPUE. JE NE PUS LA REPRENDRE QU'UNE FOIS LE CALME REVENU.
C'EST DOMMAGE QUE VOUS N'AYEZ PAS VU ÇA, C'ÉTAIT PRESQUE LA GUERRE !
POLICE
POLICE
POLICE
POLICE
'OLICE

EN FAIT, LES JEUNES, QUAND ON ARRIVE, ILS COURENT, MAIS ILS NE SAVENT MÊME PAS POURQUOI. ON LES RATTRAPE ET ON LES AMÈNE AU POSTE, ET ON DÉCOUVRE ALORS QU'ILS N'ONT STRICTEMENT RIEN FAIT.
ON LEUR DIT: "MAIS POURQUOI T'AS COURU?" VOUS N'AVEZ PAS IDÉE! ÇA DOIT ÊTRE UN RÉFLEXE PAVLOVIEN.
COMMISSAIRE PRINCIPAL
C'EST PEUT-ÊTRE LE MÊME RÉFLEXE QUI FAIT COURIR LES POLICIERS POUR LES POURSUIVRE.

L'EXPÉRIENCE AVAIT APPRIS À CES JEUNES QU'IL NE SUFFISAIT PAS DE N'AVOIR RIEN À SE REPROCHER POUR ÉCHAPPER AUX CONTRÔLES, AUX FOUILLES ET, PARFOIS, AUX INTERPELLATIONS.

TRIBUNAL CORRECTIONNEL DE RENNES, 2015.
CITÉ JUDICIAIRE

AU TERME DE DIX ANNÉES DE PROCÈS ET D'APPELS, LES POLICIERS JUGÉS POUR NON-ASSISTANCE À PERSONNE EN DANGER BÉNÉFICIÈRENT D'UNE RELAXE.

VILLIERS-LE-BEL, 25 NOVEMBRE 2007.

POLICE

LA VIOLENCE DU CHOC FUT TELLE QUE, DEVANT L'ÉTAT DU VÉHICULE, LA POLICE AFFIRMA QU'IL AVAIT ÉTÉ VANDALISÉ APRÈS L'ACCIDENT.

CE QUE L'EXPERTISE CONTREDIRA.
USTICE ET VÉRITÉ
LARAMI ET MOUSHIN

DE NOUVEAU, ON ASSISTA À UNE EXPLOSION DE COLÈRE.
L'ANCIEN MINISTRE DE L'INTÉRIEUR, DEVENU PRÉSIDENT DE LA RÉPUBLIQUE, ACCUSA, CETTE FOIS ENCORE, LES VICTIMES.
CE QUI S'EST PASSÉ N'A RIEN À VOIR AVEC UNE CRISE SOCIALE. ÇA A TOUT À VOIR AVEC LA VOYOUCRATIE.

SUR LE TERRAIN, LES FORCES DE L'ORDRE UTILISÈRENT UNE STRATÉGIE DE SATURATION DE L'ESPACE PAR LE NOMBRE DE POLICIERS.

LES AFFRONTEMENTS FURENT PARTICULIÈREMENT VIOLENTS AVEC DES BLESSÉS DES DEUX CÔTÉS.

TROIS MOIS PLUS TARD, UNE OPÉRATION DE POLICE D'ENVERGURE EXCEPTIONNELLE FUT ORGANISÉE POUR PROCÉDER À DES ARRESTATIONS.
JE PEUX VOUS DIRE. J'AI PARTICIPÉ À L'INTERPELLATION DES TRENTE-HUIT SUSPECTS. MILLE POLICIERS, C'ÉTAIT VRAIMENT EXCESSIF.

ENTRE LES DEUX, LE TEMPS D'UNE ENQUÊTE DE SCIENCES SOCIALES.

NON PAS SUR CES ÉPISODES DRAMATIQUES QUI FONT LA UNE DES MÉDIAS, MAIS SUR LE TRAVAIL QUOTIDIEN DES POLICIERS ET LEURS INTERACTIONS ORDINAIRES AVEC LES HABITANTS...

CE QUI PERMET PRÉCISÉMENT DE MIEUX COMPRENDRE CES MOMENTS DE VIOLENCE.

QUINZE MOIS PASSÉS À PATROUILLER DANS UNE GRANDE AGGLOMÉRATION DE LA RÉGION PARISIENNE AVEC LES FORCES DE L'ORDRE.

ET LE PLUS SOUVENT AVEC CES UNITÉS SPÉCIALES QU'ON APPELLE BRIGADES ANTI-CRIMINALITÉ.

LES **BAC**.

LES BAC ONT ÉTÉ CRÉÉES AU MILIEU DES ANNÉES 1980, DANS UNE PÉRIODE OÙ LE DISCOURS SÉCURITAIRE S'IMPOSAIT DE PLUS EN PLUS DANS LE MONDE POLITIQUE.

LEUR NOMBRE N'A CESSÉ D'AUGMENTER DEPUIS LORS.

LEUR ACTION EST PRINCIPALEMENT CIBLÉE SUR LES QUARTIERS POPULAIRES, ET NOTAMMENT LES CITÉS DE LOGEMENT SOCIAL.

CONTRAIREMENT AUX AUTRES POLICIERS, QUI SONT EN UNIFORME, CEUX DES BAC SONT GÉNÉRALEMENT EN CIVIL ET CIRCULENT EN VÉHICULE BANALISÉ.

CES AGENTS SONT REDOUTÉS PAR LES HABITANTS DES CITÉS.

« LES JEUNES N'ONT PAS PEUR DE LA POLICE DANS LA VOITURE SÉRIGRAPHIÉE. MAIS ILS ONT PEUR DES POLICIERS DE LA BAC PARCE QU'ILS SAVENT TRÈS BIEN QU'ILS IRONT JUSQU'AU BOUT », OBSERVAIT UN REPRÉSENTANT SYNDICAL NATIONAL.

BÉNÉFICIANT D'UNE GRANDE AUTONOMIE, CES POLICIERS PEUVENT FACILEMENT SE LIVRER À DES ABUS DE POUVOIR.

UN ANCIEN RESPONSABLE DE SERVICE DÉPARTEMENTAL D'ORDRE PUBLIC DISAIT QUE C'ÉTAIT SOUVENT « UNE MEUTE QUI PRODUISAIT PLUS DE DÉGÂTS EN ALLANT SUR LE TERRAIN QU'ELLE NE RÉGLAIT DE PROBLÈMES ».

MALGRÉ CES DÉBORDEMENTS, LES BAC JOUISSENT D'UN STATUT PARTICULIER DANS LES COMMISSARIATS EN RAISON DES INTERPELLATIONS QU'ELLES OPÈRENT.

SELON UN HAUT FONCTIONNAIRE DU MINISTÈRE DE L'INTÉRIEUR, « ELLES SONT LES BIEN-AIMÉES DE LEURS SUPÉRIEURS PARCE QUE CE SONT ELLES QUI FONT DU CHIFFRE ».

AUTREMENT DIT, CE SONT ELLES QUI FONT LE PLUS D'INTER-PELLATIONS.

DÈS LORS, BIEN QUE LES BAC SOIENT À L'ORIGINE DE LA PLUPART DES DÉCÈS LIÉS À DES INTERACTIONS AVEC LES FORCES DE L'ORDRE, ELLES RESTENT AU COEUR DU DISPOSITIF DE SÉCURITÉ PUBLIQUE.

« ELLES SONT UN MAL NÉCESSAIRE », DÉCLARAIT LE COMMISSAIRE D'UNE GRANDE CIRCONSCRIPTION DE POLICE DE BANLIEUE.

LES ÉCUSSONS DESSINÉS POUR LES BAC REFLÈTENT AINSI LEURS RELATIONS TENDUES AVEC LES QUARTIERS POPULAIRES,

JUSQUE DANS LA REPRÉSENTATION D'UN POING DÉCLENCHANT UN ÉCLAIR AU-DESSUS D'UNE CITÉ, QUI NE MANQUE PAS DE RAPPELER LA TRAGÉDIE DE CLICHY-SOUS-BOIS.

POLICE
EN FRANCE COMME AILLEURS, LA POLICE SE LAISSE DIFFICILEMENT OBSERVER, EN PARTICULIER PAR LES CHERCHEURS.
C'EST DIRE QUE CETTE ENQUÊTE REPRÉSENTE UNE IMPROBABLE ABERRATION.
BIEN PLUS QUE JE NE L'IMAGINAIS LORSQUE JE ME PRÉSENTAI AU COMMISSAIRE POUR LUI DEMANDER L'AUTORISATION DE CONDUIRE UNE RECHERCHE DANS SA CIRCONSCRIPTION.

NE VOUS FATIGUEZ PAS. JE SAIS QUI VOUS ÊTES. JE SUIS ALLÉ REGARDER SUR INTERNET.
J'AVAIS CRU, POUR MA PART, QU'UN POLICIER PRENAIT PLUTÔT SES INFORMATIONS AUPRÈS DES RENSEIGNEMENTS GÉNÉRAUX.
JE NE TROUVE PAS ANORMAL QUE L'ACTIVITÉ DE LA POLICE FASSE L'OBJET D'UN TRAVAIL DE CHERCHEUR.

JE VAIS FAIRE UNE NOTE DE SERVICE DEMANDANT QU'ON VOUS RÉSERVE LE MEILLEUR ACCUEIL ET QU'ON VOUS LAISSE TRAVAILLER LIBREMENT.
CE QUI FUT LE CAS.

FAIT REMARQUABLE, J'EUS AINSI LA POSSIBILITÉ DE MENER MA RECHERCHE PENDANT QUINZE MOIS EN DISPOSANT D'UNE GRANDE LIBERTÉ.
LE BUREAU DE LA BAC. C'EST L'HEURE DE LA RELÈVE ENTRE L'ÉQUIPE DE JOUR ET L'ÉQUIPE DE NUIT.

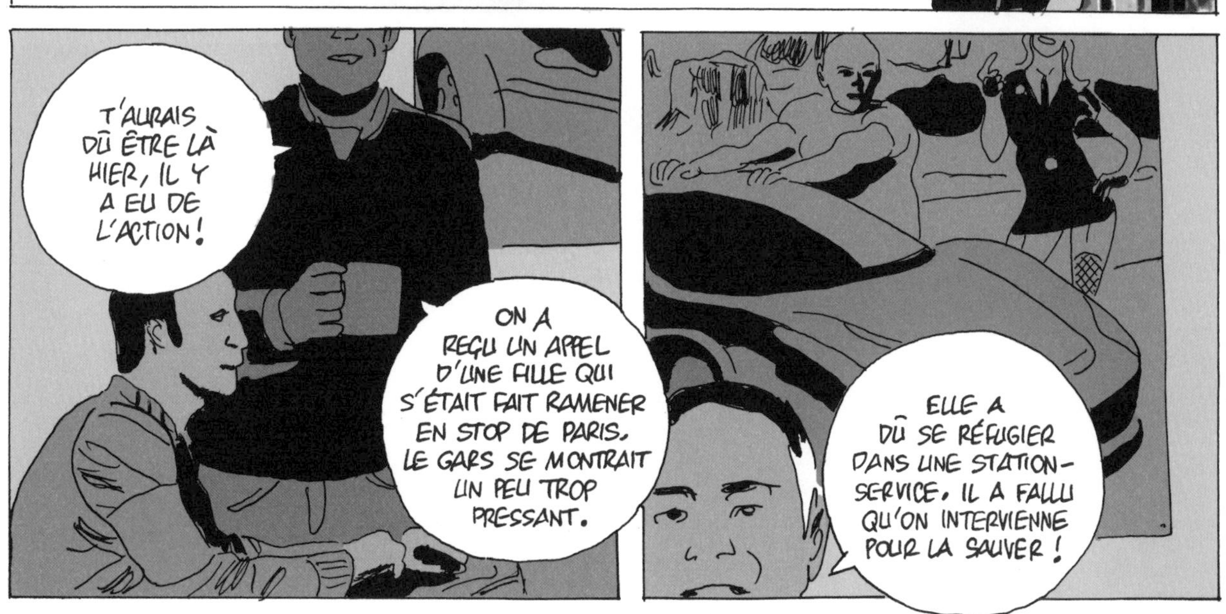
T'AURAIS DÛ ÊTRE LÀ HIER, IL Y A EU DE L'ACTION !
ON A REÇU UN APPEL D'UNE FILLE QUI S'ÉTAIT FAIT RAMENER EN STOP DE PARIS. LE GARS SE MONTRAIT UN PEU TROP PRESSANT.
ELLE A DÛ SE RÉFUGIER DANS UNE STATION-SERVICE. IL A FALLU QU'ON INTERVIENNE POUR LA SAUVER !

L'AUTRE JOUR, J'AI RETIRÉ DOUZE POINTS AU PERMIS D'UN JEUNE QUI ROULAIT SUR LA BANDE D'ARRÊT D'URGENCE DE L'AUTOROUTE. JE LUI AI COLLÉ SEPT INFRACTIONS. ENTRAVE À LA CIRCULATION. EXCÈS DE VITESSE ET DÉPASSEMENT DANGEREUX.
ET MÊME UN STATIONNEMENT INTERDIT !
AVEC ÇA, IL PERD SON PERMIS.
IL S'ÉTAIT FOUTU DE MA GUEULE, ET J'AIME PAS ÇA.
QUAND JE LUI AI DEMANDÉ POURQUOI IL ROULAIT SUR LA BANDE D'ARRÊT D'URGENCE, IL M'A RACONTÉ QU'IL ÉTAIT PRESSÉ PARCE QUE SA COPINE ÉTAIT MALADE.

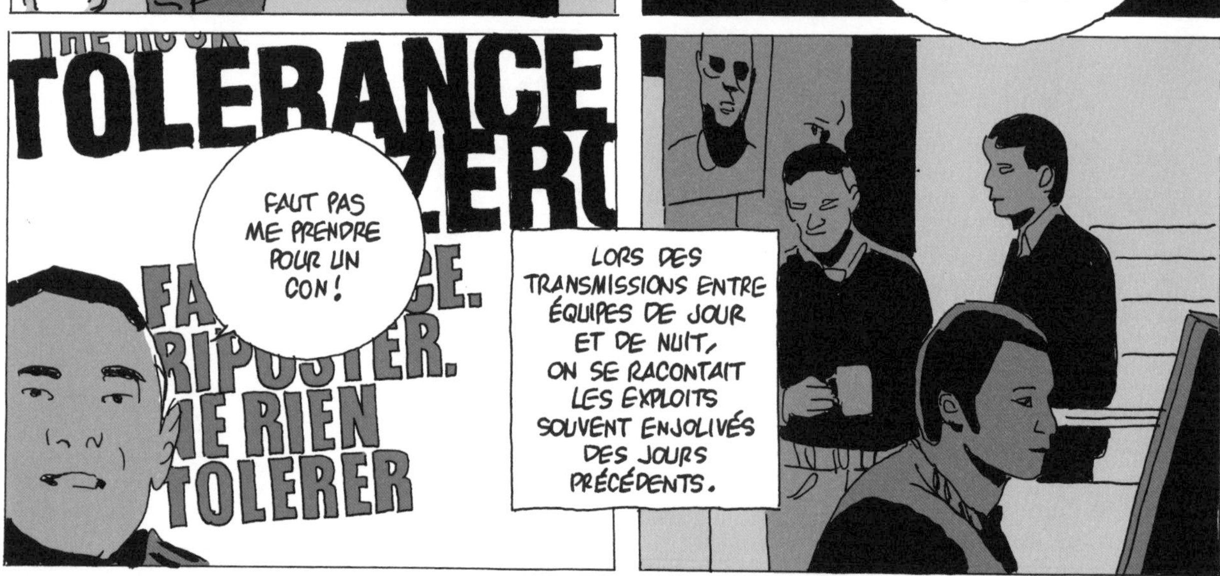
TOLERANCE
RIPOSTER.
TOLERER
FAUT PAS ME PRENDRE POUR UN CON !
LORS DES TRANSMISSIONS ENTRE ÉQUIPES DE JOUR ET DE NUIT, ON SE RACONTAIT LES EXPLOITS SOUVENT ENJOLIVÉS DES JOURS PRÉCÉDENTS.

À VOIR LE NOMBRE DE PHOTOS DE VIC MACKEY COLLÉES SUR LEUR PLACARD, LE PERSONNAGE PRINCIPAL DE *THE SHIELD* ÉTAIT LEUR HÉROS.
CETTE CÉLÈBRE SÉRIE TÉLÉVISÉE EST UNE FICTION INSPIRÉE DE L'HISTOIRE VRAIE D'UNE BRIGADE ANTIGANG DE LOS ANGELES DONT LES PRATIQUES MAFIEUSES ONT CAUSÉ UN SCANDALE AUX ÉTATS-UNIS DANS LES ANNÉES 90.

POUR LUTTER CONTRE LES RÉSEAUX CRIMINELS, VIC MACKEY ET SES COÉQUIPIERS N'HÉSITENT PAS À ENFREINDRE LA LOI,

TORTURER DES SUSPECTS, ABATTRE LES MEMBRES DE GANGS, SE SERVIR DANS LES STUPÉFIANTS QU'ILS SAISISSENT...

... ET TROMPER, VOIRE ÉLIMINER PHYSIQUEMENT, LEURS COLLÈGUES PLUS À CHEVAL SUR LES PRINCIPES.

MES COMPAGNONS DE PATROUILLE SE RECONNAISSAIENT DANS LEUR ESPRIT DE LIBERTÉ ET LEUR IMAGE DE PUISSANCE.

FASCINÉS PAR CES PERSONNAGES DE FICTION, LES POLICIERS DE LA BAC N'ASPIRAIENT PAS À EN IMITER LES PRATIQUES CORROMPUES ET LES MÉTHODES BRUTALES, MAIS RÊVAIENT DE LEUR VIE TRÉPIDANTE.
LEUR QUOTIDIEN MONOTONE TRANCHAIT EN EFFET AVEC LES RÉCITS ANIMÉS QU'ILS EN FAISAIENT À LEURS COLLÈGUES.

SORTIE

Y NOUS AIMENT PAS, LES BÂTARDS. NOUS ON LES AIME PAS NON PLUS.
MOI, JE SUIS FRANC, JE ME CACHE PAS.

LE MOT « BÂTARD » ÉTAIT GÉNÉRALEMENT LE TERME QU'UTILISAIENT LES POLICIERS POUR PARLER DES HABITANTS DES QUARTIERS POPULAIRES,
ET NOTAMMENT DES JEUNES, QUI ÉTAIENT POUR LA PLUPART FRANÇAIS DE FAMILLE AFRICAINE.

VOUS VOYEZ CETTE RÉSIDENCE. J'Y SUIS JAMAIS ALLÉ DEPUIS TOUT LE TEMPS QUE JE TRAVAILLE ICI. ON N'Y A JAMAIS ÉTÉ APPELÉS.
MAIS FAUT DIRE QU'Y A TRÈS PEU DE NOIRS ET D'ARABES, ICI.

LES CITÉS DE LOGEMENT SOCIAL FAISAIENT, À L'INVERSE, L'OBJET D'UNE ATTENTION PARTICULIÈRE DES PATROUILLES. ELLES ÉTAIENT VISITÉES PLUSIEURS FOIS PAR JOUR À PETITE VITESSE.

TIENS, REGARDE LÀ. Y A UN TYPE DANS LA VOITURE.

TES PAPIERS !

T'AS DU SHIT SUR TOI OU DANS LA VOITURE ?
NON, M'SIEUR.
JE TE PRÉVIENS, T'AS INTÉRÊT À NOUS DIRE LA VÉRITÉ. ON VA VÉRIFIER DE TOUTE FAÇON.
NON, J'AI RIEN. JE VOUS ASSURE.

QU'EST-CE QUE TU BRANLES DEHORS À CETTE HEURE-LÀ ?
RIEN, M'SIEUR, JE FUMAIS JUSTE UNE CIGARETTE EN ÉCOUTANT DE LA MUSIQUE.

C'EST BON. MAIS TU FERAIS BIEN DE RENTRER CHEZ TOI. T'AS RIEN À FOUTRE ICI !

LES CONTRÔLES D'IDENTITÉ ET LES FOUILLES CORPORELLES SONT RÉGLEMENTÉS PAR LE CODE DE PROCÉDURE PÉNALE, MAIS LES POLICIERS PRENNENT SOUVENT DES LIBERTÉS AVEC LA LOI DANS LES QUARTIERS POPULAIRES, SURTOUT VIS-À-VIS DES JEUNES...
...COMME ME LE PRÉCISAIT UNE COMMISSAIRE ADJOINTE.
ON LES CONTRÔLE, MÊME QUAND ILS N'ONT RIEN FAIT ET QU'ILS N'ONT PAS L'AIR DE SE PRÉPARER À FAIRE QUOI QUE CE SOIT.
C'EST ILLÉGAL, MAIS ON LE FAIT.

PAR PEUR DES CONSÉQUENCES, LES JEUNES ACCEPTENT LE PLUS SOUVENT SANS UN MOT CES VÉRIFICATIONS ARBITRAIRES ET CES VEXATIONS RÉPÉTÉES.
EUX, ILS ONT L'HABITUDE, ILS DONNENT LEURS PAPIERS. D'AILLEURS, ILS LES ONT TOUJOURS SUR EUX. ET PUIS ILS VIDENT LEURS POCHES.
ON N'A PAS LE DROIT NON PLUS DE LES FOUILLER SI ON N'A RIEN À LEUR REPROCHER, MAIS ON LE FAIT QUAND MÊME.

DU RESTE, DANS LES FAMILLES D'ORIGINE IMMIGRÉE, LES PARENTS ENSEIGNENT SOUVENT TRÈS TÔT À LEURS ENFANTS QUE LEUR COULEUR DE PEAU LES EXPOSERA À DE FRÉQUENTES INTERACTIONS AVEC LA POLICE.

ET QU'IL LEUR FAUDRA SURTOUT NE JAMAIS PROTESTER, QUELLE QUE SOIT LA MANIÈRE DONT ILS SERONT TRAITÉS.

SI LES POLICIERS PROCÈDENT AINSI SOUVENT À DES CONTRÔLES ET DES FOUILLES, C'EST QUE LES APPELS POUR DES INTERVENTIONS SONT PEU FRÉQUENTS ET RAREMENT FRUCTUEUX.

BIIP...
ALARME DÉCLENCHÉE DANS UN PAVILLON AU 26, RUE DES BLEUETS À...

Hiii

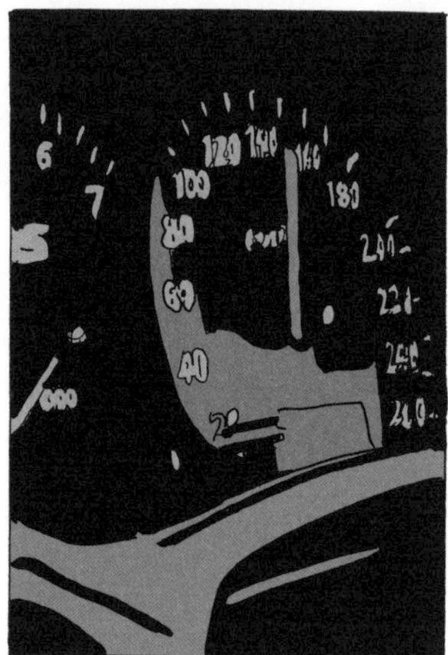

UAAAAUAAAA

UAAA

AAAAA

C'EST MOI QUI VOUS AI APPELÉS. L'ALARME DES VOISINS SONNE DEPUIS CE MATIN.

NOUS DÉRANGER POUR UNE CONNERIE COMME ÇA ! IL AURAIT PU APPELER DANS LA JOURNÉE, C'EST VRAIMENT N'IMPORTE QUOI.

LE PLUS FRUSTRANT, C'EST QUAND ON APPREND LE LENDEMAIN QUE PLUSIEURS INFRACTIONS ONT ÉTÉ COMMISES PENDANT LA NUIT, MAIS QU'ON N'EN A PAS ÉTÉ INFORMÉS SUR LE COUP.

UNE POLITIQUE DU CHIFFRE A ÉTÉ OFFICIEUSEMENT INSTAURÉE AU DÉBUT DES ANNÉES 2000, OBLIGEANT LES POLICIERS À ATTEINDRE DES OBJECTIFS QUANTIFIÉS, NOTAMMENT EN MATIÈRE D'INTERPELLATIONS.

LORSQU'ILS N'Y PARVIENNENT PAS, ILS DISPOSENT DE CE QU'ILS APPELLENT DES VARIABLES D'AJUSTEMENT :

LES I.L.S. (INFRACTIONS À LA LÉGISLATION SUR LES STUPÉFIANTS) ET LES I.L.E. (INFRACTIONS À LA LÉGISLATION SUR LES ÉTRANGERS) SONT EN EFFET LES PLUS FACILES À REPÉRER.

LES PREMIÈRES EN CIBLANT LES PERSONNES DE COULEUR, ET LES SECONDES EN MULTIPLIANT LES FOUILLES PARMI LES JEUNES DE MILIEU POPULAIRE.

LES OBJECTIFS, FIXÉS À DES NIVEAUX TROP ÉLEVÉS POUR ÊTRE ATTEINTS, CONDUISENT AINSI LES POLICIERS À FAIRE DES CONTRÔLES AU FACIÈS.
LE MOIS DERNIER, MON ÉQUIPAGE A FAIT SEULEMENT 24 INTERPELLATIONS ALORS QUE LE MAJOR NOUS EN DEMANDE 30.
LE COMMISSAIRE NOUS A SUGGÉRÉ DE FAIRE DES I.L.S. ET DES I.L.E. POUR COMPLÉTER.
POLICE
POLICE

BEAUCOUP DE POLICIERS SE PLAIGNENT DE CETTE POLITIQUE DU CHIFFRE.
C'EST POURTANT PAS POUR ÇA QUE JE ME SUIS ENGAGÉ DANS LA POLICE.
MOI JE VOULAIS ARRÊTER DES VOYOUS ET DES VOLEURS, PAS DES IMMIGRÉS QUI NE FONT DE MAL À PERSONNE OU DES JEUNES AVEC UNE BOULETTE DE SHIT.
POLICE

À CERTAINS DE LEURS COLLÈGUES, CETTE PRESSION NE POSE TOUTEFOIS PAS DE PROBLÈME.
Y SONT PAS DE CHEZ NOUS, CEUX-LÀ !

ELLE LEUR PERMET MÊME DE METTRE LEURS PRATIQUES EN CONFORMITÉ AVEC LEURS OPINIONS POLITIQUES EN ARRÊTANT DES ÉTRANGERS.
ON LES CONTRÔLE !

VOS PAPIERS ET CEUX DU VÉHICULE !

VOUS AVEZ VOTRE CARTE DE SÉJOUR, VOUS, MAIS LUI, IL EN A PAS.

ÉCOUTEZ, CHEF, IL EST JUSTE VENU CHERCHER UN PEU DE TRAVAIL, IL A RIEN FAIT, IL A PAS VOLÉ.
JE SUIS PAS LÀ POUR DISCUTER LA LOI, MAIS POUR LA FAIRE RESPECTER.

T'ES TURC ?
C'EST OÙ ÇA, LA TURQUIE?
TURC, MOI OUI.
TURQUIE?

TON PAYS N'EST PAS BIENVENU DANS L'UNION EUROPÉENNE EN CE MOMENT, TU SAIS ÇA ?!
C'EST EN EUROPE, TON PAYS ?
EUROPE ?
DIS DONC, T'ES UN PERROQUET, TOI !

POLICE

ALORS, LA BAC, ON FAIT DES I.L.E. MAINTENANT ?
MOI, JE DÉFENDS MON PAYS !
JE ME PLAINS TOUJOURS QU'IL Y A TROP DE SANS-PAPIERS. C'EST POUR ÇA QUE QUAND JE PEUX EN ARRÊTER UN, JE LE FAIS.
IL N'IGNORE CEPENDANT PAS QUE L'INTERPELLATION QU'IL VIENT DE FAIRE EST ILLÉGALE PUISQU'ELLE RÉSULTE D'UN CONTRÔLE DÉCIDÉ SUR LA SEULE APPARENCE PHYSIQUE.

CE PROFILAGE PAR LA COULEUR DE PEAU PERMET AINSI D'INTERPELLER DES PERSONNES EN SITUATION IRRÉGULIÈRE, QUITTE À LES POUSSER À LA FAUTE POUR Y PARVENIR SANS PARAÎTRE ENFREINDRE LA LOI.

VOUS N'AVEZ RIEN À FAIRE ICI. CIRCULEZ !

MAINTENANT QU'ILS ROULENT, ON PEUT LES CONTRÔLER.

Uiii

VOS PAPIERS ET LES PAPIERS DU VÉHICULE !

DONC, VOUS ROULEZ ET VOUS N'AVEZ PAS D'ASSURANCE.

C'EST PAS MA VOITURE, M'SIEUR, ET JE SAVAIS PAS QU'IL MANQUAIT L'ASSURANCE. JE RACCOMPAGNAIS JUSTE MON AMI QUI AVAIT UN PEU BU ET QUI VOULAIT PAS CONDUIRE.

T'APPELLES LA FOURRIÈRE POUR LE VÉHICULE. LUI, ON LE MET EN GARDE À VUE.

D'AUTRES POLICIERS PRÉFÈRENT CEPENDANT S'INTÉRESSER AUX AFFAIRES DE DROGUES MÊME SI, NE POUVANT S'ATTAQUER AUX TRAFIQUANTS, ILS DOIVENT SE CONTENTER D'USAGERS DE CANNABIS.

REGARDE-MOI CE CONNARD !
C'EST LE DEALER DE LA CITÉ. IL SAIT QU'ON LE SAIT.
MAIS IL SAIT AUSSI QU'ON NE FERA RIEN CONTRE LUI. LE TRAFIC, C'EST LA CHASSE GARDÉE DES STUPS.

NOUS, ON NOUS LAISSE QUE LES SHITEUX !

TIENS ! ON VA ALLER VISITER UN IMMEUBLE OÙ ÇA CIRCULE.

T'AS LE CODE ?
AH PUTAIN ! ON L'A PAS PRIS.

BOUM BOUM BOUM

C'EST QUI ?

?

C'EST LA POLICE !

MERDE. ILS SE BARRENT !

VA VOIR S'IL Y A UNE ISSUE DE L'AUTRE CÔTÉ DU BÂTIMENT.

VOUS HABITEZ ICI ?
OUI.
VOUS POUVEZ NOUS OUVRIR LA PORTE ?

BORDEL, Y AVAIT UNE SORTIE PAR LES CAVES !
VOUS, VOUS RESTEZ LÀ.

BON, LUDO, TU EXPLORES LE FAUX-PLAFOND. TU VAS PEUT-ÊTRE Y TROUVER QUELQUE CHOSE. NOUS, ON SE TAPE LES ESCALIERS.

?

POURQUOI VOUS VOUS ÊTES ENFUIS QUAND ON EST ARRIVÉS ?
QU'EST-CE QUE VOUS AVEZ À VOUS REPROCHER ?
BEN... RIEN, M'SIEUR.
C'EST CE QU'ON VA VOIR !

QU'EST-CE QU'IL FOUT LÀ, LUI ?

MAIS J'AI RIEN FAIT. J'AI JUSTE OUVERT LA PORTE À VOS COLLÈGUES !
TA GUEULE !

C'EST BON, LES GARS, ON RENTRE MAINTENANT. LA JOURNÉE EST FINIE.
LE QUOTIDIEN DES POLICIERS EST BIEN ÉLOIGNÉ DE LA REPRÉSENTATION DE LEUR MÉTIER TELLE QU'ELLE APPARAÎT DANS LES FICTIONS ET TELLE QU'EUX-MÊMES L'IMAGINENT.

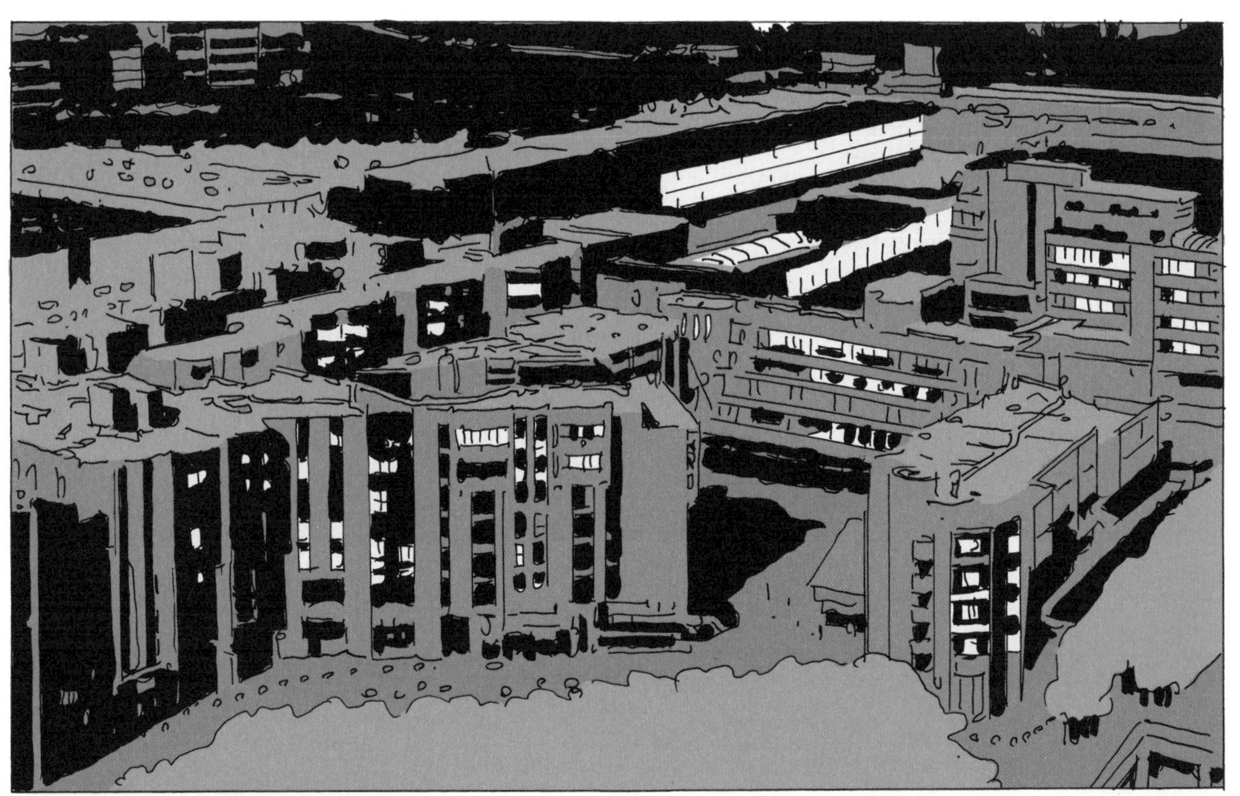

LES PATROUILLES CONSISTENT À TOURNER DE CITÉS EN CENTRES-VILLES ET DE GARES EN ZONES INDUSTRIELLES, EN QUÊTE D'UN IMPROBABLE FLAGRANT DÉLIT.

21H30.

T'AS FAIT QUOI, CE WEEK-END ?

J'AI REPEINT LA CHAMBRE DE MA FILLE AVEC MA FEMME. ÇA FAISAIT DES ANNÉES QU'ON VOULAIT LE FAIRE.
ET TOI ?

J'AI SCIÉ L'ARBRE QU'ÉTAIT AU FOND DE MON JARDIN. IL MENAÇAIT DE TOMBER. TU SAIS, JE T'EN AVAIS PARLÉ ?
OUAIS, J'ME SOUVIENS.

ALLONS FAIRE UN TOUR DANS CE PARKING. ON Y A SIGNALÉ DES EFFRACTIONS.

LES SALAUDS ! ILS LEUR ONT BIEN NIQUÉ LEURS GARAGES !

22H30.

T'AS VU LA VIDEO DE L'INTERPELLATION DU JEUNE À ROUEN ?

AU DÉBUT TOUT SE PASSE BIEN. T'ENTENDS MÊME UN FLIC VOUVOYER LE MEC. JE ME SUIS DIT : C'EST PAS POSSIBLE. IL A VU QU'Y AVAIT UNE CAMÉRA, LE GARS...

MAIS POUR UNE FOIS QUE ÇA SE PRÉSENTAIT BIEN POUR NOUS...
Y A L'AUTRE FLIC QUI DIT AU BÂTARD : « SI TU CONTINUES COMME ÇA, TU VAS ALLER CRAMER DANS UN TRANSFO COMME TES POTES. »
LE CON !

23H30.

BIIP...
DES RÉSIDENTS DE LA CITÉ DES PEUPLIERS SIGNALENT LA PRÉSENCE DE JEUNES QUI FONT LA FÊTE DANS LE PARC EN BAS DE CHEZ EUX...

LES GARS, JE LES VOIS. ILS SONT ASSIS AUTOUR D'UNE TABLE DE PIQUE-NIQUE.

ALLEZ, Y A RIEN, ILS NE GÊNENT PERSONNE. ON LES LAISSE TRANQUILLES, ON S'EN VA.
NON, ILS N'ONT RIEN À FOUTRE DEHORS À CETTE HEURE-LÀ. ON LES CONTRÔLE.

VOS PAPIERS !

TOUT EST BON. ILS N'ONT MÊME PAS DE SHIT SUR EUX.

AU MOINS, ON LEUR A POURRI LEUR FÊTE.

DANS CE CONTEXTE DE DÉSŒUVREMENT INVOLONTAIRE, DES FAITS ANODINS PEUVENT DONNER LIEU À DES RÉPONSES DISPROPORTIONNÉES QUI GÉNÈRENT ARTIFICIELLEMENT DE L'ACTION.

POLICE
POLICE
POLICE
BIIP... ON VIENT DE RECEVOIR UN APPEL D'UN HABITANT À PROPOS D'UN QUAD QUI CIRCULE DANS LA RÉSIDENCE DU PARC...
POLICE
POLICE
POLICE

VRR!

LÂCHEZ-LE !!
IL A RIEN FAIT !
POLICE

ON APPELLE DES RENFORTS !
POLICE
POLICE
POLICE

Uiiiiiiiiiiiiiii
?

Uiiiiiiiiiii

POLICE

LES KEUFS ! LES KEUFS !

P'TIT MERDEUX, JE VAIS T'APPRENDRE À PARLER AUX POLICIERS !

MAIS FOUTEZ-LEUR LA PAIX !

VOUS N'AVEZ PAS LE DROIT DE NOUS TRAITER COMME ÇA !!

FLICS DE MERDE !

FERMEZ VOS GUEULES, BOUGNOULES !!
POLICE

C'EST ICI QU'HABITE LE DEALER DU QUARTIER ! Y DOIT ÊTRE DANS LE COUP !

ON LE CHOPE !

KRA

YOUSSEF ! OÙ EST YOUSSEF ?
POLICE

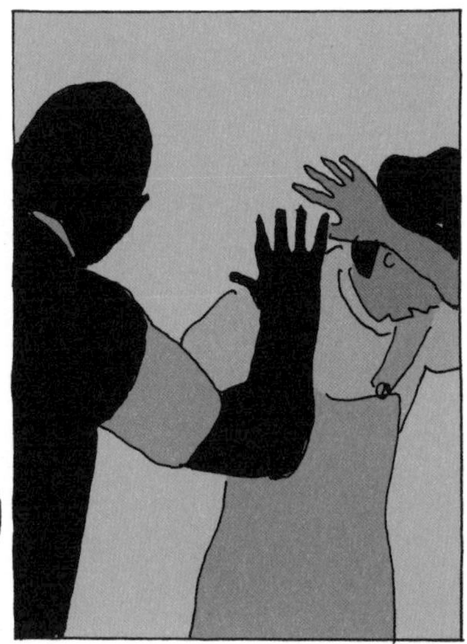

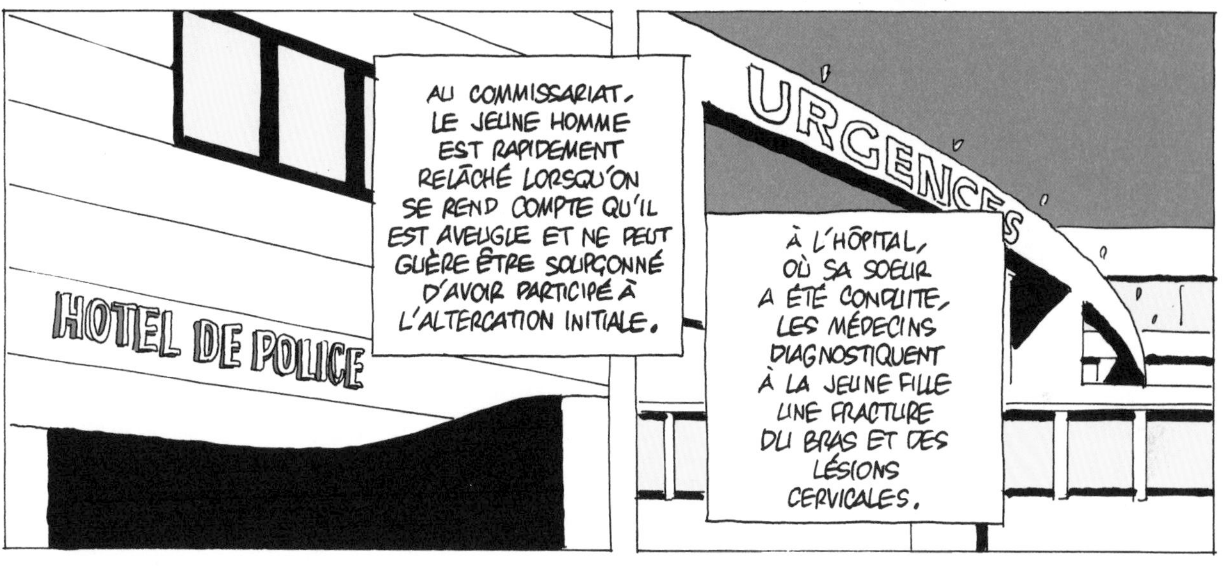

LES QUATRE JEUNES BLESSÉS LORS DE L'INTERVENTION SONT PLACÉS EN GARDE À VUE ET ACCUSÉS D'OUTRAGE ET REBELLION, DE FAÇON À NEUTRALISER D'ÉVENTUELLES PLAINTES CONTRE LES POLICIERS.

LES SIX AUTRES SONT LIBÉRÉS EN CHAUSSETTES AU MILIEU DE LA NUIT ET DOIVENT PARCOURIR À PIED LES TROIS KILOMÈTRES QUI LES SÉPARENT DE LEUR DOMICILE.

Code de déontologie de la police nationale. Article 1er. La police nationale concourt, sur l'ensemble du territoire, à la garantie des libertés et à la défense des institutions de la République, au maintien de la paix et de l'ordre public et à la protection des personnes et des biens.

LE LENDEMAIN, LE SYNDICAT DE POLICE ALLIANCE PARLE DE « VIOLENCES PERPÉTRÉES AVEC UNE SAUVAGERIE INQUALIFIABLE » À L'ENCONTRE DES FORCES DE L'ORDRE,
MENTIONNANT DES FONCTIONNAIRES « GRIÈVEMENT BLESSÉS ».

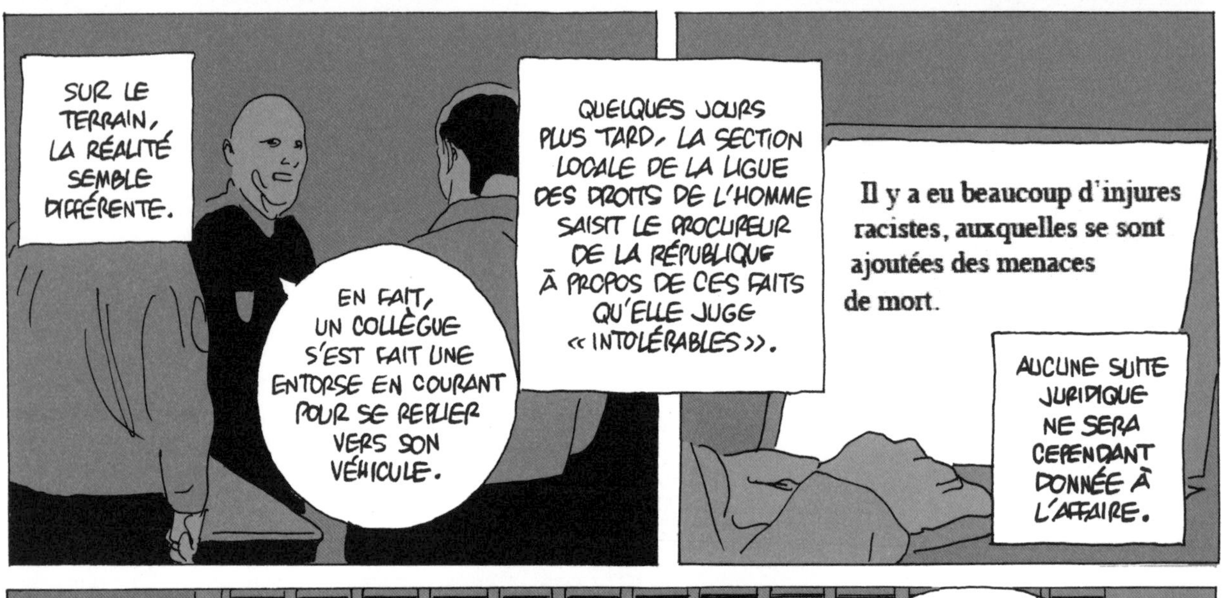
SUR LE TERRAIN, LA RÉALITÉ SEMBLE DIFFÉRENTE.
EN FAIT, UN COLLÈGUE S'EST FAIT UNE ENTORSE EN COURANT POUR SE REPLIER VERS SON VÉHICULE.
QUELQUES JOURS PLUS TARD, LA SECTION LOCALE DE LA LIGUE DES DROITS DE L'HOMME SAISIT LE PROCUREUR DE LA RÉPUBLIQUE À PROPOS DE CES FAITS QU'ELLE JUGE « INTOLÉRABLES ».
Il y a eu beaucoup d'injures racistes, auxquelles se sont ajoutées des menaces de mort.
AUCUNE SUITE JURIDIQUE NE SERA CEPENDANT DONNÉE À L'AFFAIRE.

DE SON CÔTÉ, LE PRÉSIDENT DE L'ASSOCIATION DES RÉSIDENTS DU QUARTIER DÉPLORE LA BRUTALITÉ DE L'OPÉRATION QUI ALTÈRE LES RELATIONS ENTRE LES JEUNES ET LES ADULTES...
PUISQUE C'EST UN HABITANT QUI A FAIT APPEL AUX FORCES DE L'ORDRE.
C'EST VRAIMENT DOMMAGE. ÇA FAIT DES MOIS QUE NOUS ESSAYONS DE RETISSER DES LIENS DE CONFIANCE DANS CE QUARTIER ET NOUS AVONS EU DE BONS RÉSULTATS SUR L'INSÉCURITÉ ET LES DÉGRADATIONS.
AVEC CETTE INTER-VENTION, C'EST ENTIÈREMENT À RECONS-TRUIRE !

PRIVÉS D'ACTIONS EN RAPPORT AVEC LEUR MISSION, LES POLICIERS SE RABATTENT AINSI SUR DES INCIDENTS MINEURS QU'ILS TRANS-FORMENT EN EXPÉDITIONS PUNITIVES SE TERMINANT PAR DES ARRESTATIONS ALÉATOIRES.
MÊME LEUR HIÉRARCHIE EST IMPUISSANTE À LES EN EMPÊCHER.
C'EST DIFFICILE. ON EST PRIS ENTRE LA VOLONTÉ DES AGENTS DE NE PAS PERDRE LA FACE EN S'AFFIRMANT SUR UN TERRITOIRE ET LE RISQUE DE METTRE LA CITÉ À FEU ET À SANG.
ON N'ARRIVE PAS À LES RETENIR.

POUR TUER L'ENNUI, LES POLICIERS VONT PARFOIS LA NUIT SUR UN SEGMENT DE ROUTE QUI SERT À DES RUNS, CES COURSES DE RUE ORIGINAIRES DES ÉTATS-UNIS QUE LES FILMS *FAST AND FURIOUS* ONT RENDUES POPULAIRES.
CONFORTABLEMENT INSTALLÉS DANS LEUR VÉHICULE, ILS OBSERVENT CES COMPÉTITIONS NOCTURNES ILLÉGALES MAIS TOLÉRÉES.
ON PEUT PAS INTERVENIR SUR DES SITUATIONS COMME ÇA. Y A TROP DE MONDE. IL FAUDRAIT DES DIZAINES ET DES DIZAINES DE POLICIERS POUR CONTRÔLER TOUS CES GENS.

PLUS RICHES EN ÉMOTIONS FORTES SONT CEPENDANT LES COURSES-POURSUITES DANS LESQUELLES LES POLICIERS SE TROUVENT EUX-MÊMES IMPLIQUÉS.
... VÉHICULE CONTRÔLÉ SUR L'AUTOROUTE À 200 KM/H AU NIVEAU DE LA SORTIE NUMÉRO 10...

ELLES NE PERMETTENT PRESQUE JAMAIS DE RATTRAPER LES AUTEURS D'EXCÈS DE VITESSE OU D'AUTRES DÉLITS,
MAIS ELLES DONNENT AUX POLICIERS L'IMPRESSION QUE LEUR MÉTIER RESSEMBLE À CE QU'ILS EN AVAIENT IMAGINÉ EN S'Y ENGAGEANT.

ELLES SONT POURTANT INTERDITES PAR LA HIÉRARCHIE QUI REDOUTE LES DANGERS ENCOURUS PAR LES HABITANTS, LES POLICIERS ET LES VÉHICULES.
SI L'ON NE DISPOSE PAS D'UNE COMPTABILITÉ DES PERSONNES TUÉES LORS D'ACCIDENTS CAUSÉS PAR DES VÉHICULES DE POLICE, ON SAIT EN REVANCHE QUE LES DEUX TIERS DES POLICIERS MORTS EN SERVICE SONT VICTIMES D'ACCIDENTS DE LA ROUTE.

HORMIS CES RARES MOMENTS INTENSES DE LEUR VIE PROFESSIONNELLE, LES FORCES DE L'ORDRE DOIVENT LE PLUS SOUVENT SE CONTENTER DE QUELQUES CONTRÔLES D'IDENTITÉ, POUR ANIMER DES PATROUILLES MONOTONES ET ESPÉRER ATTEINDRE LEURS QUOTAS.
RESTAURANT - PUB
MAIS CES CONTRÔLES SONT MANIFESTEMENT CIBLÉS.

C'EST DES ÉTUDIANTS DE L'ÉCOLE DE COMMERCE. ILS FÊTENT PROBABLEMENT LA FIN DU SEMESTRE. ET ÇA FUME DU SHIT, ET ÇA BOIT !

QUI PEUT SE PAYER DES ÉTUDES À 10 000 EUROS ?

ILS SE PROMÈNENT AVEC LEURS TOUT NOUVEAUX PORTABLES ET ILS TÉLÉPHONENT EN PUBLIC : PAS ÉTONNANT QU'ILS SE LES FASSENT VOLER !

ALLEZ, ON BOUGE.

LA POLICE SE DONNE PARFOIS POUR MISSION DE PROTÉGER LA JEUNESSE DORÉE DE L'ÉVENTUALITÉ D'UN VOL OU D'UNE AGRESSION PAR LA JEUNESSE DES QUARTIERS.

GRAVE DIGGERS
DANCIN'
REGARDE-MOI ÇA ! ON LEUR A REPEINT LEURS HALLS D'ENTRÉE ET ILS SONT DÉJÀ COUVERTS DE TAGS.

ALLEZ, ON LES CONTRÔLE.

MESSIEURS, VOS PAPIERS !

POLICE

LES IMMIGRÉS ET LES MINORITÉS NE SONT PAS LES SEULES CIBLES DU PROFILAGE ETHNO-RACIAL.

DES MANOUCHES.
ON LES CONTRÔLE.

SORTEZ DU VÉHICULE !

VOS PAPIERS ET CEUX DE LA VOITURE !

VOUS ÊTES ICI DEPUIS QUAND ?
ON EST ARRIVÉS Y A DEUX JOURS.
VOUS ALLEZ RESTER COMBIEN DE TEMPS ?

ON SAIT PAS ENCORE MAIS SÛREMENT UN BON MOMENT. PARCE QUE MA MÈRE EST MALADE, ELLE A UN CANCER ET ELLE A ÉTÉ HOSPITALISÉE.

TOUJOURS LES MÊMES SALADES !
ET VOUS FAITES QUOI DANS LA VIE ?
J'AI PAS DE TRAVAIL.

POURQUOI VOUS N'EN CHERCHEZ PAS, DU TRAVAIL ?
VOUS CROYEZ QUE, POUR NOUS, C'EST FACILE D'EN TROUVER ?

ALORS, FAITES COMME TOUT LE MONDE, INSCRIVEZ-VOUS À L'ANPE !
ET VOUS PENSEZ QUE L'ANPE VA NOUS TROUVER DU TRAVAIL ? À NOUS ?

DE TOUTE FAÇON, DU FRIC, VOUS LES MANOUCHES, VOUS EN AVEZ. VOUS ROULEZ EN PORSCHE CAYENNE !

AH ÇA, LES NOUCHES, NOUS ON A RÉCUPÉRÉ QUE DE LA MERDE !
ON POURRA JAMAIS S'EN DÉBAR-RASSER.

EN PLUS, MAINTENANT, Y A LES ROUMAINS. Y SONT PARTOUT. AVEC L'EUROPE ILS PULLULENT.
LES MANOUCHES DE CHEZ NOUS, ILS LES APPELLENT LES CRASSEUX, C'EST TOUT DIRE.

MAIS FAUT LEUR RECONNAÎTRE UNE CHOSE AUX MANOUCHES. MÊME S'ILS ONT PRIS DES COUPS, ILS NE VONT PAS CHERCHER DES HISTOIRES.

Y SONT PAS DU GENRE À SE TAPER LA TÊTE CONTRE UN MUR, À S'OUVRIR L'ARCADE SOURCILIÈRE ET À ALLER DIRE QUE C'EST VOUS QUI LES AVEZ FRAPPÉS, COMME LE FONT LES RENOIS ET LES REBEUS.

PARFOIS, UNE PROVOCATION PERMET DE JUSTIFIER UNE INTERPELLATION.

ALORS, P'TIT BRANLEUR ! ON SE PROMÈNE ?

ON VA LE FAIRE CHIER, CELUI-LÀ !

TU FAIS PAS TON MALIN, HEIN, BAMBOULA ?

MAIS LAISSEZ-MOI TRANQUILLE !

HIII

ALORS, SALE NÈGRE, C'EST COMME ÇA QU'ON PARLE À LA POLICE ?

ON VA T'EMBARQUER POUR OUTRAGE ET RÉBELLION. TU VAS VOIR COMME C'EST SYMPA, LA GARDE À VUE !
MESSIEURS, ATTENDEZ !

JE CONNAIS BIEN CE GARÇON. CE N'EST PAS UN VOYOU. IL EST TRÈS GENTIL. S'IL VOUS PLAÎT, LAISSEZ-LE PARTIR.

T'AS DE LA CHANCE, P'TIT CON.

LES OUTRAGES ET RÉBELLIONS CONTRE PERSONNE DÉPOSITAIRE DE L'AUTORITÉ PUBLIQUE ONT CONNU UNE CROISSANCE SPECTACULAIRE AU COURS DES TROIS DERNIÈRES DÉCENNIES.
MOI, L'ANNÉE DERNIÈRE, J'AI DÛ EN FAIRE UNE DIZAINE !
LICE

LES POLICIERS SONT ENCOURAGÉS À PORTER PLAINTE ET DEMANDER DES RÉPARATIONS PAR LE MINISTÈRE DE L'INTÉRIEUR QUI, DE PLUS, PREND EN CHARGE LES FRAIS D'AVOCAT.
MAIS ÇA DEVIENT DUR. J'AI ÉTÉ CONVOQUÉ SIX FOIS PAR LA COMMISSION DE DISCIPLINE.
ÇA VAUT PLUS LA PEINE, DANS CES CONDITIONS, D'ARRÊTER CES BÂTARDS : ÇA NOUS ATTIRE QUE DES ENNUIS !
CONTRAIREMENT À CE QU'ON PENSE, LES OUTRAGES ET RÉBELLIONS NE SONT POURTANT PAS UN SIGNE DES VIOLENCES DU PUBLIC.
POLICE
POLICE
ILS SONT UN INDICATEUR DES PROVOCATIONS DES POLICIERS.

QUAND J'AI UN POLICIER QUI LES ACCUMULE, JE LE SURVEILLE DE PRÈS CAR JE SUSPECTE UNE INCAPACITÉ À GÉRER LES SITUATIONS, VOIRE UNE TENDANCE À NE PAS CONTRÔLER SA PROPRE AGRESSIVITÉ.
MÊME SI L'INSTITUTION POLICIÈRE A BIEN CONSCIENCE DE CETTE RÉALITÉ, ELLE NE SANCTIONNE QU'EXCEPTIONNELLEMENT LES AGENTS CONCERNÉS, OU BIEN ELLE LE FAIT A MINIMA.
MOI, PAR EXEMPLE, J'AI ÉTÉ PASSÉ DE JOUR SUITE À UNE INTERPELLATION UN PEU RUDE. C'EST VRAI QUE LE PAUVRE GARS, IL AVAIT PRIS CHER !
MAIS ÇA NE M'EMPÊCHE PAS DE FAIRE DES NUITS QUAND J'EN AI ENVIE.

EN REVANCHE, POUR LES JEUNES INCULPÉS D'OUTRAGE ET RÉBELLION, LA SANCTION EST PRESQUE SYSTÉMATIQUE.
LEUR PAROLE EST DE PEU DE POIDS FACE À CELLE D'UN AGENT ASSERMENTÉ DONT LES COLLÈGUES VIENNENT CONFIRMER LA VERSION DES FAITS À L'AUDIENCE.
POLICE
LES PEINES DE PRISON FERME SONT FRÉQUENTES.

LES ADOLESCENTS ET LES JEUNES DES QUARTIERS POPULAIRES SAVENT QUE, QUELLES QUE SOIENT LES CIRCONSTANCES, TOUTE INTERACTION AVEC LA POLICE PEUT MAL TOURNER.

VOS PAPIERS !
ON A JUSTE NOS CARTES DE TRANSPORT, M'SIEUR, MAIS Y A NOTRE NOM ET NOTRE PHOTO DESSUS.

ÇA COMPTE PAS. ON VA VOUS EMMENER AU POSTE POUR VÉRIFIER VOS IDENTITÉS.
ON HABITE AU FOYER JUSTE À CÔTÉ, M'SIEUR, ON VA ALLER LES CHERCHER.

TA GUEULE ! ON VOUS EMBARQUE ET ON DEMANDERA AU FOYER DE VOUS RÉCUPÉRER AU COMMISSARIAT.
DEUX MINUTES, M'SIEUR. J'Y VAIS !

REPUBLIQUE FRANÇ

VOILÀ, M'SIEUR !

POUR QUI TU TE PRENDS, P'TITE CREVURE DE TE BARRER SANS DEMANDER LA PERMISSION ?

TU VAS VOIR, J'VAIS TE PERCER LES GENOUX !
NON MAIS REGARDE-TOI, P'TIT PÉDÉ ! T'ES EN ÉCHEC FAMILIAL, T'ES EN ÉCHEC SCOLAIRE !

ARRÊTEZ ! C'EST UN DE NOS ADOS. JE SUIS ÉDUCATRICE DANS LE FOYER JUSTE À CÔTÉ.

SI C'EST COMME ÇA QUE VOUS VOUS OCCUPEZ DE VOS BÂTARDS, BRAVO !

ALASSANE, CE N'EST PAS NORMAL CE QUI VIENT DE T'ARRIVER. IL FAUT QUE TU TE DÉFENDES !
NON, C'EST VITE FAIT. C'EST RIEN, ÇA.

JE NE SUIS PAS D'ACCORD, ALASSANE. IL NE FAUT PAS LAISSER PASSER ÇA, IL FAUT PORTER PLAINTE.
ÇA SERAIT MOI, J'LUI AURAIS MIS UN COUP. J'ME SUIS FAIT ROULER, LÀ !

NON, TU AS BIEN FAIT D'AGIR COMME TU L'AS FAIT, SINON TU PARTAIS EN GARDE À VUE.
MAIS SI TU TE TAIS, RIEN NE POURRA CHANGER.
NON, C'EST BON, C'EST PASSÉ, C'EST TOUT.

TU SAIS, UNE COMMISSION DES DROITS DE L'HOMME A JUSTEMENT SORTI UN RAPPORT SUR LES ABUS DES POLICIERS ET ELLE DEMANDE QU'ILS SOIENT SANCTIONNÉS.
EH ! ÇA SERT À RIEN !

LES JEUNES N'IGNORENT RIEN DE LA DIFFICULTÉ DE SE FAIRE RECONNAÎTRE VICTIMES DE BRUTALITÉ POLICIÈRE.
POLICE

AS-TU PARTICIPÉ AU VOL D'UN VÉLO AVEC DEUX AUTRES INDIVIDUS CE JOUR VERS 19 HEURES ?
NON, M'SIEUR !
TU DEVRAIS PAS MENTIR ! DE TOUTE FAÇON, TON ALIBI NE TIENT PAS.

AS-TU QUELQUE CHOSE À AJOUTER ?
OUI, M'SIEUR. POURQUOI LE POLICIER Y M'A GIFLÉ ?

QUEL POLICIER ?
LE NOIR.
Y AVAIT PAS DE NOIR.
SI. MÊME QU'IL ÉTAIT EN MOTO. MON COPAIN POURRA LE DIRE.
JE VAIS TE LIRE LE PROCÈS-VERBAL ET TU VAS LE SIGNER.

Y A PAS ÉCRIT QUE LE POLICIER M'A MIS UNE GIFLE.
J'TE PRÉVIENS, Y AURA DEUX ÉQUIPAGES QUI VONT TÉMOIGNER CONTRE TOI. LE JUGE NE VA PAS APPRÉCIER.
ALORS, J'ÉCRIS QUAND MÊME QU'IL T'A GIFLÉ ?
OUI, M'SIEUR !
TU VAS ÊTRE CONFRONTÉ AU GARDIEN DE LA PAIX QUE TU ACCUSES. ÇA SERA TA PAROLE CONTRE LA SIENNE ET, EN PLUS, IL VA T'ATTAQUER EN DIFFAMATION.
MAIS DE TOUTE FAÇON C'EST VRAI, M'SIEUR, MÊME QU'Y AVAIT D'AUTRES JEUNES, Y POURRONT LE DIRE.
UN PROCÈS QUI EUT LIEU PENDANT MON ENQUÊTE PERMIT DE RECONSTITUER UNE AFFAIRE DE VIOLENCES POLICIÈRES.
PALAIS DE JUSTICE
LE PROCUREUR M'EXPLIQUA QU'IL ÉTAIT EXCEPTIONNEL DE PORTER UNE TELLE ATTENTION À CE TYPE DE DOSSIER.

MAIS L'UNE DES VICTIMES ÉTAIT UN CITOYEN TURC DONT LA PHOTOGRAPHIE DU VISAGE TUMÉFIÉ AVAIT FAIT LA UNE D'UN QUOTIDIEN DE SON PAYS.

LE CONSULAT AVAIT INTERPELLÉ LA PRÉFECTURE ET LE PARQUET AVAIT ÉTÉ SAISI.

LES FAITS S'ÉTAIENT PRODUITS UN PREMIER JANVIER À 4H30 DU MATIN.
BONNE ANNÉE
POLICE

IL Y A UNE BAGARRE DANS UNE FÊTE DE FAMILLE À LA CITÉ DES MUSICIENS ET QUELQU'UN A ENTENDU UN COUP DE FEU !
POLICE

POLICE
POLICE
J'APPELLE LES COMMISSARIATS DU DÉPARTEMENT POUR QU'ILS ENVOIENT D'AUTRES VÉHICULES.

POLICE
POLICE
POLICE
LES GARS, ON A PERDU LA GUERRE D'ALGÉRIE Y A QUARANTE ANS, ON A BAISSÉ NOTRE FROC. C'EST PAS AUJOURD'HUI QU'ON VA LE BAISSER DE NOUVEAU. PAS DE PRISONNIER. ON TRIQUE !
POLICE

?!

?!

ICE
LICE

PSCH

ARRÊTEZ DE LE FRAPPER !

PO
MONSIEUR, JE VOUS NOTIFIE UNE GARDE À VUE SOUS LES CHEFS D'OUTRAGE ET DE RÉBELLION CONTRE AGENTS DÉPOSITAIRES DE L'AUTORITÉ PUBLIQUE.

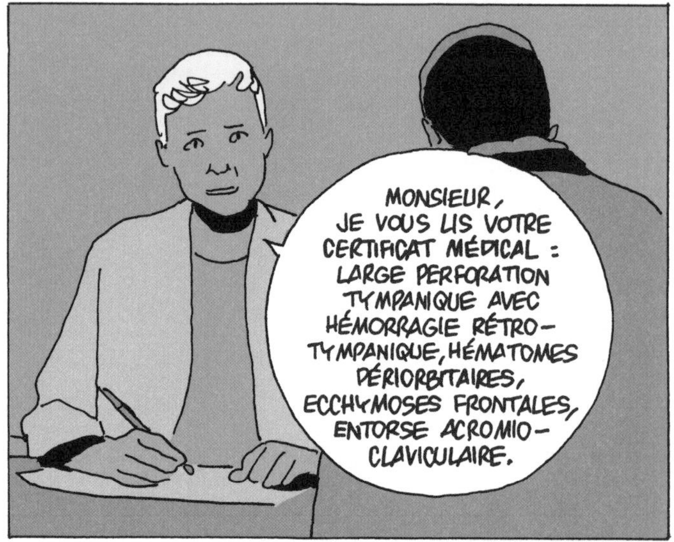
MONSIEUR, JE VOUS LIS VOTRE CERTIFICAT MÉDICAL : LARGE PERFORATION TYMPANIQUE AVEC HÉMORRAGIE RÉTRO-TYMPANIQUE, HÉMATOMES PÉRIORBITAIRES, ECCHYMOSES FRONTALES, ENTORSE ACROMIO-CLAVICULAIRE.

VINGT-DEUX MOIS PLUS TARD.
PALAIS DE JUSTICE

IL FAUT VOUS RENDRE COMPTE : ON A LÀ UNE SITUATION DE GUERRE. DANS CES QUARTIERS-LÀ, IL FAUT S'ADAPTER AUX CIRCONSTANCES.
POLICE

MON CLIENT EST VICTIME DE SON DÉVOUEMENT COMME POLICIER. IL N'Y AVAIT PAS CHEZ LUI DE VOLONTÉ DE VENGEANCE, MAIS UNE VOLONTÉ DE JUSTICE.

...CONDAMNATION DES CINQ AGENTS À QUATRE MOIS D'EMPRISONNEMENT AVEC SURSIS SANS INSCRIPTION AU DEUXIÈME BULLETIN DU CASIER JUDICIAIRE...

...ET À VERSER SOLIDAIREMENT 12000 EUROS DE DOMMAGES ET INTÉRÊTS À LA VICTIME.

TROIS ANS APRÈS LE PROCÈS.
POLICE
LA CONDAMNATION, REMARQUABLEMENT CLÉMENTE PUISQU'ELLE N'AFFECTAIT PAS LA CARRIÈRE DES FONCTIONNAIRES, NE FUT CEPENDANT PAS EXÉCUTÉE.

LA VICTIME NE REÇUT JAMAIS LES DOMMAGES ET INTÉRÊTS PRONONCÉS PAR LE MAGISTRAT.
LES POLICIERS AYANT ÉTÉ MUTÉS DANS D'AUTRES CIRCONSCRIPTIONS, SON AVOCAT SOLLICITA LA DIRECTION NATIONALE DE LA SÉCURITÉ PUBLIQUE OÙ IL LUI FUT RÉPONDU QU'ON NE SAVAIT PAS OÙ SE TROUVAIENT LES CINQ POLICIERS CONDAMNÉS.

LES POLICIERS ONT BESOIN DE JUSTIFIER À LEURS PROPRES YEUX DES PRATIQUES QUE LEUR HIÉRARCHIE JUGE CONTRAIRES À LA DÉONTOLOGIE DU MÉTIER...
...ET QUI SUSCITENT L'INDIGNATION DES CITOYENS LORSQU'ILS EN DÉCOUVRENT L'EXISTENCE.
ALLÔ, C'EST LA POLICE ?

ILS LE FONT DE PLUSIEURS MANIÈRES.
RIXE DANS LA CITÉ ALLENDE.
TOUT D'ABORD, LES POLICIERS S'IMAGINENT QUE LA SOCIÉTÉ DANS SON ENSEMBLE LEUR EST DEVENUE HOSTILE.

CE SENTIMENT CONTRIBUE À FORTIFIER LEUR ESPRIT DE CORPS ET LA COHÉSION DE LEURS ÉQUIPES DANS UNE RELATION DE SEULS CONTRE TOUS...
C'EST ENCORE UN CANULAR D'UN DE CES P'TITS CONS !

...ET IL LÉGITIME LEUR AGRESSIVITÉ EN RETOUR.
LÀ-BAS ! ÇA DOIT ÊTRE LUI !

ENSUITE, LES POLICIERS IDENTIFIENT AU SEIN DE LA SOCIÉTÉ DES CATÉGORIES PLUS OU MOINS BIEN DÉLIMITÉES DE DÉLINQUANTS RÉELS OU POTENTIELS, NOTAMMENT PARMI LES MINORITÉS.

CETTE CATÉGORISATION LEUR PERMET DE CONSIDÉRER L'INDIVIDU QU'ILS INTERPELLENT COMME COUPABLE A PRIORI.
IL A DÛ ENTRER ICI !

ET COMME DANS LA FABLE : SI CE N'EST LUI, C'EST DONC SON FRÈRE, OU L'UN DES SIENS.
POLICE
POLICE
OUVREZ ! POLICE !

POLICE
ENFIN, LES POLICIERS SONT CONVAINCUS QUE LES JUGES SONT TROP CLÉMENTS.
POLICE
« ON ARRÊTE DES DÉLINQUANTS ET LE LENDEMAIN ILS SONT REMIS EN LIBERTÉ », RÉPÈTENT-ILS SANS CESSE.

MAIS, M'SIEUR...
TA GUEULE !
POLICE
PUNIR DANS LA RUE LEUR APPARAÎT DONC COMME UNE MANIÈRE DE SE SUBSTITUER À UNE JUSTICE QU'ILS PENSENT DÉFAILLANTE.

POURTANT, LES SONDAGES D'OPINION MONTRENT QUE LA PLUPART DES HABITANTS FONT CONFIANCE À LA POLICE...
COMMISSAIRE ADJOINT
C'ÉTAIT UNE DAME À QUI J'AI DONNÉ MON NUMÉRO DE PORTABLE ET QUI M'APPELAIT POUR ME SIGNALER UN PROBLÈME.
COMMISSAIRE ADJOINT

LES ÉTUDES RÉVÈLENT QUE, DANS LES QUARTIERS POPULAIRES, LES DÉLITS SONT COMMIS PAR UN TRÈS PETIT NOMBRE D'INDIVIDUS ET RÉPROUVÉS PAR LA MAJORITÉ DES HABITANTS...
LE PROBLÈME, C'EST QUE DANS LES CITÉS, LES POLICIERS NE SAVENT PLUS FAIRE LA DIFFÉRENCE ENTRE LES HONNÊTES GENS ET LES VOYOUS.
COMMISSAIRE PRINCIPAL
...ET LES STATISTIQUES JUDICIAIRES ÉTABLISSENT QUE LES MAGISTRATS SANCTIONNENT DE PLUS EN PLUS SÉVÈREMENT.
C'EST VRAI QUE LES JUGES REMETTENT PARFOIS DANS LA NATURE DES SUSPECTS QU'ON A INTERPELLÉS. MAIS C'EST PARCE QUE LES DOSSIERS QU'ON LEUR PRÉSENTE NE TIENNENT PAS LA ROUTE.

LE DÉCALAGE OBSERVÉ ENTRE LA POLICE ET LA POPULATION TIENT EN BONNE PART À CE QUE HUIT AGENTS SUR DIX VIENNENT DE MILIEU RURAL OU DE PETITES VILLES ET QUE LEUR PREMIÈRE AFFECTATION SE FAIT DANS LES CIRCONSCRIPTIONS URBAINES LES PLUS DIFFICILES.

DE PLUS, DANS LES ÉCOLES NATIONALES DE POLICE, LES ENSEIGNANTS LEUR ONT SOUVENT DRESSÉ UN TABLEAU PEU FAVORABLE DES QUARTIERS POPULAIRES EN RECOURANT VOLONTIERS À UN LANGAGE RACIALISÉ.
VOTRE PREMIER POSTE SERA SÛREMENT DANS UNE BANLIEUE. LÀ-BAS, C'EST LA JUNGLE !
VOUS ALLEZ VOUS RETROUVER CHEZ LES SAUVAGES. IL FAUT VOUS Y PRÉPARER.

CETTE DIMENSION RACIALE EST ACCENTUÉE PAR LE FAIT QUE, SI LES PROMOTIONS INTÈGRENT UNE PROPORTION CROISSANTE DE FEMMES, LA PLACE DES MINORITÉS Y DEMEURE RÉDUITE.
OR, LES VILLES DANS LESQUELLES LES JEUNES POLICIERS COMMENCENT L'EXERCICE DE LEUR MÉTIER SE COMPOSENT POUR UNE PART IMPORTANTE D'HOMMES ET DE FEMMES FRANÇAIS D'ORIGINE IMMIGRÉE.

LE MANQUE D'EXPÉRIENCE DE CET ENVIRONNEMENT URBAIN ET LES PRÉJUGÉS QUI S'ATTACHENT À CELLES ET CEUX QUI Y VIVENT CONDUISENT À DES TENSIONS ET DES HEURTS ENTRE LES FORCES DE L'ORDRE ET LES RÉSIDENTS DES QUARTIERS POPULAIRES.
POLICE
POLICE

CES TENSIONS ET CES HEURTS SONT ATTISÉS PAR CERTAINS RESPONSABLES POLITIQUES, DONT LES PROPOS STIGMATISENT LES HABITANTS DES CITÉS, SURTOUT LES JEUNES.
VOUS EN AVEZ ASSEZ DE CETTE BANDE DE RACAILLES ? ON VA VOUS EN DÉBARRASSER.
QUARANTE-HUIT HEURES AVANT LA MORT DES DEUX ADOLESCENTS QUI A ÉTÉ LE PRÉLUDE DES ÉMEUTES DE 2005.

C'EST QUE LE DISPOSITIF FRANÇAIS DE SÉCURITÉ PUBLIQUE A ÉTÉ PROGRESSIVEMENT DÉTOURNÉ DE SES OBJECTIFS ORIGINAUX.
POLICE
NATIONALE
NATIONAL, IL DEVAIT ASSURER L'ÉGALITÉ DE TOUS DEVANT LA LOI DE LA RÉPUBLIQUE ET LA NEUTRALITÉ DES FORCES DE L'ORDRE PLACÉES AU SEUL SERVICE DE L'ÉTAT.
MAIS LORSQUE LES QUESTIONS DE SÉCURITÉ ONT ÉTÉ POLITISÉES À PARTIR DES ANNÉES 1970, LA POLICE EST ELLE-MÊME DEVENUE UN INSTRUMENT DU POUVOIR.
PLUTÔT QU'AU SERVICE DES CITOYENS, ELLE SE MET AU SERVICE DU GOUVERNEMENT QUI, EN RETOUR, A BESOIN D'ELLE.
AINSI LA POLICE S'EST-ELLE VU ACCORDER DES PRÉROGATIVES TOUJOURS PLUS LARGES, PAR EXEMPLE EN TERMES DE CONTRÔLES D'IDENTITÉ, ET UNE AUTONOMIE TOUJOURS PLUS GRANDE, EN PARTICULIER PAR RAPPORT À L'INSTITUTION JUDICIAIRE.
MAIS QUI NOUS PROTÈGE DE LA POLICE ?

SON POUVOIR DISCRÉTIONNAIRE PEUT AINSI SE CONCENTRER SUR CERTAINS PUBLICS...
... EN FONCTION DE LEUR CLASSE SOCIALE, DE LEUR LIEU DE RÉSIDENCE, DE LEUR COULEUR DE PEAU, PARFOIS DE LEUR RELIGION.

CERTAINS N'ONT JAMAIS AFFAIRE À LA POLICE. D'AUTRES SE SAVENT TOUJOURS À SA MERCI.
VOS PAPIERS !

CHACUN SE VOIT AINSI RAPPELER SA PLACE DANS LA SOCIÉTÉ.
VOUS N'AVEZ RIEN À FAIRE DEHORS. RENTREZ CHEZ VOUS.

LA CRÉATION DES BRIGADES ANTI-CRIMINALITÉ ET LEUR EXTENSION À L'ENSEMBLE DU TERRITOIRE NATIONAL REFLÈTENT CETTE ÉVOLUTION.

COMMISSARIAT DE POLICE
TOUS LES POLICIERS NE SE RECONNAISSENT D'AILLEURS PAS DANS LES PRATIQUES DE CES UNITÉS SPÉCIALES.
POLICE

POLICE
NON, MOI, LA BAC, C'EST PAS MON TRUC !
CE QUI ME PLAISAIT QUAND J'AI COMMENCÉ CE MÉTIER, C'ÉTAIT LA DIVERSITÉ DES MISSIONS, LE MÉLANGE DE LA DIMENSION SOCIALE ET DU MAINTIEN DE L'ORDRE.
C'EST POUR ÇA QUE JE FAIS POLICE-SECOURS.
MAIS REJOINDRE LA BAC, NON. CE N'EST PAS LE GENRE DE TRAVAIL QUE J'AIME FAIRE. ON VA TROP AU CONFLIT.

MOI J'AIME PARLER AVEC LES GENS. JE PRÉFÈRE NÉGOCIER POUR RÉSOUDRE LES PROBLÈMES.

ET PUIS, JE NE SUIS PAS ASSEZ... PAS ASSEZ...
PAS ASSEZ DUR.

POLICE
POLICE
POLI
POLICE

J'VAIS PAS LES FAIRE, LES CINQ MOIS DE PRISON !
SUR LA VIE D'MA MÈRE, J'Y RETOURNE PAS, EN PRISON !

QU'EST-CE QU'IL A, LE BÂTARD ?
IL ÉTAIT ARRÊTÉ À UN FEU. IL S'EST FAIT CONTRÔLER SANS RAISON PARTICULIÈRE. EN VÉRIFIANT, ON A VU SON NOM DANS LE FICHIER DES PERSONNES RECHERCHÉES.

C'EST LA NOUVELLE POLITIQUE D'EXÉCUTION DES PEINES DE NOTRE MINISTRE.
ON VA RECHERCHER DES TYPES QUI ONT FAIT UNE CONNERIE IL Y A CINQ ANS OU MÊME PLUS ET À QUI ON RETROUVE UNE PEINE OU UN SURSIS QU'ON AVAIT OUBLIÉS.

ON LES MET EN TAULE ALORS QU'ILS SONT RENTRÉS DANS LE RANG ET ONT TROUVÉ UN BOULOT. ET ILS REPLONGENT.
BAH, C'EST TANT MIEUX!

J'ÉTAIS AU FEU. J'AI RIEN FAIT. EUX, Y M'ARRÊTENT ET Y ME DISENT QUE J'VAIS EN PRISON !

SUR LA VIE D'MA MÈRE! J'VEUX PAS Y RETOURNER EN PRISON !

FALLAIT Y PENSER AVANT, DUCON ! TU VAS VOIR QUE TU VAS LES FAIRE TES CINQ MOIS !

SUR LA VIE D'TA MÈRE, HEIN? ET QU'EST-CE QU'ELLE VA DIRE, TA MÈRE, QUAND ELLE VA SAVOIR QUE T'ES ENCORE UNE FOIS EN TAULE ?
TU JOUAIS SÛREMENT LES CAÏDS DANS TA CITÉ, MAIS T'EN MÈNES PAS LARGE, MAINTENANT !

J'ÉTAIS À DEUX DOIGTS DE LE FRAPPER !
SI VOUS N'AVIEZ PAS ÉTÉ LÀ...

BONSOIR LA BAC !

C'EST POUR QUI, CES CANETTES ?
POUR DEUX DE MES DÉTENUS AFRICAINS EN GARDE À VUE.

ILS N'ONT PAS BESOIN DE BOIRE. T'AS VU COMMENT ILS LES TRAITENT, AU MAROC ? ILS LES LAISSENT CREVER DANS LE DÉSERT, EUX. ET ILS ONT BIEN RAISON.
MAIS NON, ILS SONT BIEN GENTILS, TU SAIS.

QUAND MÊME, TU DEVRAIS PAS.
JE TE DIS QU'ILS SONT SYMPAS. S'ILS ÉTAIENT DÉSAGRÉABLES, J'IRAIS SÛREMENT PAS LEUR ACHETER DES CANETTES, MAIS LÀ...

T'AS ENTENDU CE QU'IL A DIT, JEAN-MARIE, HIER ?

À L'APPROCHE DE L'ÉLECTION PRÉSIDENTIELLE, LES INDICES DE LA XÉNOPHOBIE SE FIRENT TOUTEFOIS PLUS MANIFESTES SUR LES MURS DU BUREAU DE LA BAC.

Contre le racisme... Halte à l'immigration !

THE SHIELD

KKK

ON A TROP LAISSÉ VENIR LES IMMIGRÉS AVEC LEURS FAMILLES NOMBREUSES.

MAINTENANT QU'ILS ONT PLUS DE TRAVAIL, ILS VIVENT DE NOS ALLOCS, PENDANT QUE LEURS ENFANTS, EUX, FONT LES CONS ET SE CROIENT TOUT PERMIS.

LE PROBLÈME, C'EST LES ARABES ET LES NOIRS !

C'EST EUX QUI FOUTENT LA MERDE !

L'INSTITUTION POLICIÈRE, QUI AVAIT SAISI LA JUSTICE ET FAIT CONDAMNER POUR OUTRAGE UN FABRICANT DE TEE-SHIRTS DÉTOURNANT IRONIQUEMENT LE SIGLE DES BRIGADES ANTI-CRIMINALITÉ, ...

... SE MONTRAIT AU CONTRAIRE TRÈS INDULGENTE À L'ÉGARD DE SES AGENTS QUI LIVRAIENT AU REGARD DES HABITANTS LEURS OPINIONS HOSTILES AUX IMMIGRANTS ET AUX MINORITÉS.

L'IDÉOLOGIE FIÈREMENT EXHIBÉE PAR LA MAJORITÉ DE SES MEMBRES AURAIT CEPENDANT PU CONDUIRE À CONSIDÉRER CETTE BRIGADE COMME UNE EXCEPTION, SI QUELQUES ANNÉES PLUS TARD...

... UNE ENQUÊTE N'AVAIT RÉVÉLÉ QU'AUX ÉLECTIONS RÉGIONALES, PLUS DE LA MOITIÉ DES FORCES DE L'ORDRE AVAIT VOTÉ POUR LE PARTI D'EXTRÊME-DROITE : LE DOUBLE DE LA MOYENNE NATIONALE.

AU SEIN DE LA BRIGADE, CERTAINS AVAIENT TOUTEFOIS PROGRESSIVEMENT PRIS LEURS DISTANCES PAR RAPPORT À CETTE ÉVOLUTION.
NOUS, AU DÉBUT, ON Y CROYAIT COMME LES AUTRES, ON ESSAYAIT DE FAIRE DU ZÈLE.
ON CHERCHAIT À S'INTÉGRER DANS LE COLLECTIF.

ET PUIS, APRÈS DEUX OU TROIS ANS, ÇA A COMMENCÉ À NOUS GÊNER.
MOI J'EN POUVAIS PLUS.

J'EN AVAIS MARRE D'ENTENDRE DES COLLÈGUES RACISTES, XÉNOPHOBES ET ANTISÉMITES À LONGUEUR DE NUIT.
J'EN AVAIS MARRE DE VOIR CERTAINES CHOSES ET ME TAIRE.

MÊME QUAND ON N'EST PAS D'ACCORD AVEC CE QUI SE DIT ET CE QUI SE FAIT, ON NE PEUT RIEN MONTRER. ALORS, ON S'ÉCRASE ET ON RENTRE DANS SA BULLE.
ON NE VEUT PAS AVOIR D'ENNUIS.

IL Y A DES CHOSES QU'ON N'OUBLIE PAS. UN EXEMPLE, POUR VOUS DIRE.
VOUS VOUS SOUVENEZ DE CET HIVER OÙ IL AVAIT FAIT SI FROID, IL Y A QUELQUES ANNÉES ?

CETTE NUIT-LÀ ÉTAIT L'UNE DES PLUS GLACIALES. IL DEVAIT FAIRE DANS LES MOINS TRENTE. ENFIN, C'EST LA TEMPÉRATURE QU'ILS AVAIENT ANNONCÉE DANS L'EST.
À UN MOMENT, ON PATROUILLAIT, ON EST PASSÉS DEVANT LA GARE. IL Y AVAIT UN AFRICAIN DEHORS.
JE NE SAIS PAS COMMENT IL ÉTAIT ARRIVÉ LÀ. JUSTE AVEC UN PANTALON, UN TEE-SHIRT ET DES SANDALETTES.
IL GRELOTTAIT DE FROID. TOUTES LES PORTES DE LA GARE ÉTAIENT FERMÉES. LE GARS ERRAIT À LA RECHERCHE D'UN ABRI.
J'AI DIT : ALLEZ, ON L'EMBARQUE AU POSTE, AU MOINS IL PASSERA LA NUIT AU CHAUD.
MES COLLÈGUES ONT REFUSÉ. JE SUIS CERTAIN QU'EN TEMPS NORMAL, ON L'AURAIT CONTRÔLÉ. ET COMME IL NE DEVAIT PAS AVOIR SES PAPIERS, IL AURAIT FINI AU COMMISSARIAT.

IL FAISAIT TELLEMENT FROID CETTE NUIT-LÀ, MAIS ILS ONT PRÉFÉRÉ LE LAISSER GELER.
JE ME DEMANDE SI CE PAUVRE GARS A SURVÉCU.
CETTE HISTOIRE, JE PEUX VOUS DIRE, J'Y REPENSE SOUVENT. ENCORE AUJOURD'HUI.

C'EST POUR ÇA QUE QUAND L'OCCASION DE CHANGER D'ÉQUIPE S'EST PRÉSENTÉE, ON EST PASSÉS DE JOUR.
LA NUIT, ON PEUT FAIRE N'IMPORTE QUOI. PERSONNE N'EN SAURA RIEN.

LES DÉFECTIONS DES POLICIERS LES MOINS ENCLINS À MANIFESTER LEUR HOSTILITÉ À L'ENCONTRE DES IMMIGRÉS ET DES MINORITÉS CONDUISENT AINSI À UNE CONCENTRATION DES AGENTS LES PLUS XÉNOPHOBES ET RACISTES AU SEIN DE CES UNITÉS.
TOUTES CES SALOPERIES QU'ON ENTENDAIT ET AUXQUELLES ON ASSISTAIT ! ON SUPPORTAIT PLUS.

TIENS, HIER, ON A CONTRÔLÉ RACHID D. IL ÉTAIT AU MILIEU D'UN GROUPE DE GENS QUI REGARDAIENT UNE BAGNOLE EN TRAIN DE FINIR DE CRAMER.
RACHID D., C'EST BIEN LE P'TIT QU'EST UN ANCIEN TOXICO ?
OUAIS, IL EST GRAND COMME TROIS BITES À GENOUX.

UN TOUT MAIGRE ?
J'CROIS QU'IL A LE SIDA OU UN TRUC COMME ÇA.
TANT MIEUX, ÇA FERA UNE MERDE EN MOINS.

VOUS L'AVEZ COFFRÉ, J'ESPÈRE ?
BAH, EN FAIT, Y AVAIT RIEN À LUI REPROCHER, À PART QU'IL A TOUJOURS UN COMPORTEMENT UN PEU CHELOU.
IL PERD RIEN POUR ATTENDRE. ON SAURA BIEN LUI TROUVER UN TRUC.

QUELQUES SEMAINES PLUS TARD, LA PRÉDICTION SE CONCRÉTISE. L'HOMME A ÉTÉ REPÉRÉ AU VOLANT D'UNE VOITURE VOLÉE. TOUS LES VÉHICULES DISPONIBLES LE PRENNENT EN CHASSE.
BIIIP
... AU CARREFOUR DE L'AVENUE ÉMILE ZOLA ET DE LA RUE JEAN MOULIN...
C'EST RACHID D. ! CETTE FOIS, ON LE TIENT !

UNE COURSE-POURSUITE S'ENGAGE À TRAVERS L'AGGLOMÉRATION...
BIIIP
... BOULEVARD DES MARAÎCHERS EN DIRECTION DE...

... NON SANS QUELQUES DIFFICULTÉS...
PUTAIN ! C'EST PAS VRAI !

FINALEMENT, LE VÉHICULE DU FUYARD EST INTERCEPTÉ.
POLICE

OUI, VOUS AVEZ RAISON, C'EST DE MA FAUTE, J'AI FAIT UNE CONNERIE, JE DOIS PAYER.

T'EN FAIS PAS, TU N'Y ES POUR RIEN.

IL NE VOUS AVAIT PAS DIT QUE C'ÉTAIT UN VÉHICULE VOLÉ, HEIN ?
VOUS VOYEZ À QUI VOUS AVEZ AFFAIRE, MADAME?

C'EST SÛREMENT PAS EN TAULE QUE TON SIDA VA S'ARRANGER !

AH ! PARCE QUE TU NE LUI EN AVAIS PAS PARLÉ À TON AMIE, DE TON SIDA? EH BAH TU VOIS, MAINTENANT, ELLE EST AU COURANT !

MÊME SI ELLES ATTIRENT UN CERTAIN PROFIL DE POLICIERS, LES BRIGADES ANTI-CRIMINALITÉ NE CONSTITUENT PAS DES ENSEMBLES HOMOGÈNES.
EN LEUR SEIN, TOUS NE PARTAGENT PAS LES MÊMES VALEURS.
LA COMMUNAUTÉ MORALE DANS LAQUELLE SE RECONNAISSENT LES UNS EXCLUT CERTAINES CATÉGORIES, SOUVENT SUR DES CRITÈRES ETHNO-RACIAUX.

JAMAIS MES FILLES NE RAMÈNERAIENT UN GARS COMME ÇA À LA MAISON.

REMARQUEZ, JE SUIS PAS XÉNOPHOBE. LES POLONAIS, LES PORTUGAIS, J'AI PAS DE PROBLÈME AVEC EUX.

MAIS, LES NOIRS ET LES ARABES, MOI, J'LES AIME PAS, ET SI JE PEUX LES FAIRE CHIER, JE LES RATE PAS.

LA COMMUNAUTÉ MORALE À LAQUELLE LES AUTRES SE SENTENT APPARTENIR EST, À L'INVERSE, INCLUSIVE.

MOI, CES HISTOIRES DE BLANCS, DE NOIRS... ET DE GRIS, COMME ON DIT, POUR MOI, ÇA NE FAIT PAS DE DIFFÉRENCE.

J'AI ÉTÉ ÉLEVÉ DANS UNE CITÉ DE LA BANLIEUE PARISIENNE. MES COPAINS ÉTAIENT NOIRS ET ARABES. J'AI FAIT DU FOOT AVEC DES NOIRS ET DES ARABES. ALORS, LEURS HISTOIRES DE RACISME, JE VOIS PAS LES CHOSES COMME ÇA.

JE ME SOUVIENS DE BACHIR. DANS LA CIRCONSCRIPTION OÙ JE TRAVAILLAIS AVANT, ON SORTAIT SOUVENT EN ÉQUIPE. ENTRE NOUS, Y AVAIT PAS D'ARABE ET DE BLANC. C'ÉTAIT UN BON POLICIER, C'EST TOUT. ON AVAIT TOTALEMENT CONFIANCE L'UN DANS L'AUTRE.

CE QUI FAIT SOUVENT LA DIFFÉRENCE ENTRE LES UNS ET LES AUTRES, C'EST L'ENVIRONNEMENT DANS LEQUEL ILS ONT GRANDI.
PLUS IL DIFFÈRE DE CELUI DANS LEQUEL ILS TRAVAILLENT, ET PLUS ILS RESSENTENT D'ÉTRANGETÉ ET MÊME D'HOSTILITÉ À L'ENCONTRE DE LEUR PUBLIC.

AU CONTRAIRE, PLUS IL EST SEMBLABLE, ET PLUS ILS ÉPROUVENT DE FAMILIARITÉ ET MÊME DE SYMPATHIE À L'ÉGARD DE CEUX AUXQUELS ILS ONT AFFAIRE.
C'EST DIRE L'IMPORTANCE DE LA DIVERSITÉ, NOTAMMENT SOCIALE, DANS LE RECRUTEMENT DES FORCES DE L'ORDRE...

DEUX GRANDS MODÈLES DE POLICE SE SONT LONGTEMPS OPPOSÉS.
EN GRANDE-BRETAGNE, C'ÉTAIT LE « BOBBY », NON ARMÉ, CIRCULANT SOUVENT À PIED, BIEN IMPLANTÉ DANS SON ENVIRONNEMENT ET RESPECTÉ POUR SON SENS CIVIQUE.
POLICE
AUX ÉTATS-UNIS, C'ÉTAIT LE « COP », TOUJOURS ARMÉ, PATROUILLANT EN VOITURE, ENTRETENANT PEU DE RELATIONS AVEC LES HABITANTS ET REDOUTÉ POUR SA BRUTALITÉ ET SON RACISME.
C'EST CE MODÈLE QUI S'EST IMPOSÉ PRESQUE PARTOUT DANS LE MONDE.

CETTE ÉVOLUTION A UN COÛT HUMAIN. EN GRANDE-BRETAGNE, TROIS PERSONNES SONT TUÉES PAR LA POLICE CHAQUE ANNÉE. AUX ÉTATS-UNIS, TROIS MEURENT CHAQUE JOUR DANS CES MÊMES CIRCONSTANCES.
MAIS PLUS ENCORE, PEUT-ÊTRE, QUE LE COMPTE DES DÉCÈS, C'EST LE HARCÈLEMENT AU QUOTIDIEN DES CLASSES POPULAIRES ET DES MINORITÉS ETHNO-RACIALES PAR LA POLICE, ...
... ET DONC L'EXPÉRIENCE DES HUMILIATIONS, DES DISCRIMINATIONS ET DES VIOLENCES, QUI LAISSENT LES TRACES LES PLUS PROFONDES DANS CES POPULATIONS.

LA FRANCE NE FAIT PAS EXCEPTION À CETTE ÉVOLUTION. SA POLICE SE DOTE DE TOUJOURS PLUS D'ARMEMENT ET S'ÉLOIGNE TOUJOURS PLUS DE LA POPULATION, CONCENTRANT L'ESSENTIEL DE SON ACTION SUR LES PUBLICS LES PLUS AFFECTÉS PAR LES INÉGALITÉS SOCIALES.
POLICE
POLICE
NAK LA BIC

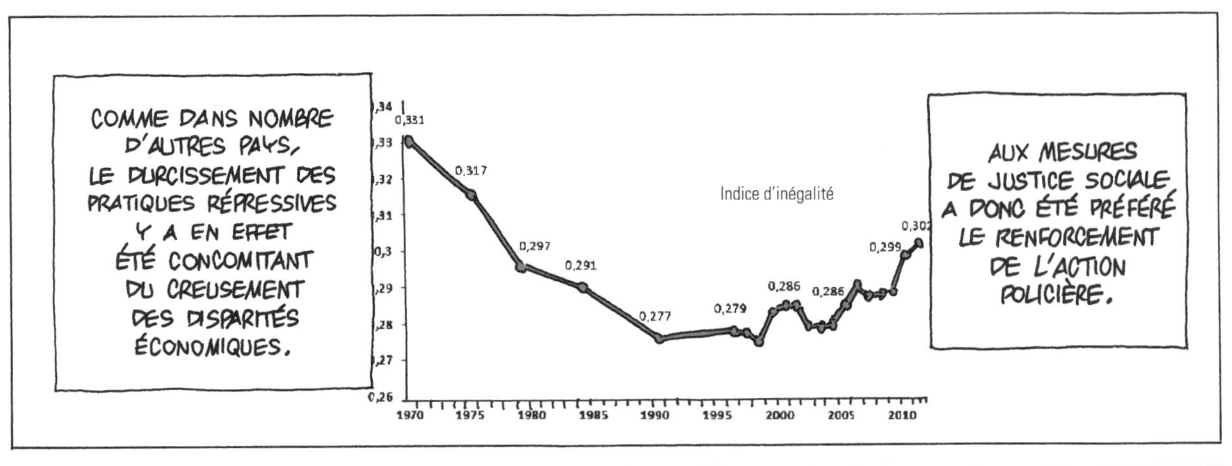
COMME DANS NOMBRE D'AUTRES PAYS, LE DURCISSEMENT DES PRATIQUES RÉPRESSIVES Y A EN EFFET ÉTÉ CONCOMITANT DU CREUSEMENT DES DISPARITÉS ÉCONOMIQUES.
Indice d'inégalité
0,331
0,317
0,297
0,291
0,277
0,279
0,286
0,286
0,299
0,302
1970
1975
1980
1985
1990
1995
2000
2005
2010
AUX MESURES DE JUSTICE SOCIALE A DONC ÉTÉ PRÉFÉRÉ LE RENFORCEMENT DE L'ACTION POLICIÈRE.

LE MODE D'INTERVENTION DES BRIGADES ANTI-CRIMINALITÉ EST AINSI RÉVÉLATEUR DE LA RÉPONSE POLITIQUE À L'AGGRAVATION DES INÉGALITÉS : UN CERTAIN GLISSEMENT DE L'ÉTAT SOCIAL VERS L'ÉTAT PÉNAL.

« ON N'ARRIVE JAMAIS À TROUVER UNE RAISON SUFFISANTE POUR QUE LES CHOSES AIENT TOURNÉ COMME ELLES L'ONT FAIT. ELLES AURAIENT BIEN PU TOURNER AUTREMENT. »
« MAIS LE PLUS ÉTRANGE EST QUE LES HOMMES NE S'EN APERÇOIVENT PAS. »
ROBERT MUSIL

TREIZE ANNÉES SE SONT ÉCOULÉES DEPUIS QUE L'ENQUÊTE S'EST ACHEVÉE.
30

NEUF DEPUIS QUE LE LIVRE QUI EN REND COMPTE EST PARU EN LIBRAIRIE.
Didier Fassin
LA FORCE DE L'ORDRE
CE QUE FAIT VRAIMENT LA POLICE DANS LES CITÉS
SEUIL

LA FRAN
FOR
C'ÉTAIT AU DÉBUT DE LA CAMPAGNE PRÉSIDENTIELLE DE 2012.
E CHANGEMENT
C'EST MAINTENANT

LES MÉDIAS Y VIRENT L'OCCASION D'UN DÉBAT SUR L'ÉVOLUTION INQUIÉTANTE DES POLITIQUES SÉCURITAIRES.

ILS COMMENCÈRENT MÊME À QUESTIONNER LE RÔLE DES BRIGADES ANTI-CRIMINALITÉ.
La BAC en banlieue
Les forces de désordre

L'OBLIGATION DE RÉSERVE PRÉVALUT PARMI LES POLICIERS.
POLICE
EN PRIVÉ, CERTAINS VALIDÈRENT TOUTEFOIS LES OBSERVATIONS DU LIVRE.
UN SYNDICAT Y VIT MÊME LA CONFIRMATION DE CERTAINES DE SES ANALYSES.

PLACE BEAUVAU, LES RÉACTIONS FURENT CONTRASTÉES.

LE MINISTRE DE L'INTÉRIEUR DE L'ÉPOQUE ORGANISA UNE CÉRÉMONIE DE REMISE DE MÉDAILLES À DES POLICIERS DE LA BAC AU COURS DE LAQUELLE IL S'EN PRIT À L'OUVRAGE...
...ET À SON AUTEUR.

À L'INVERSE, SON SUCCESSEUR ME REÇUT CORDIALEMENT ET ME DIT ACQUIESCER À MES CONCLUSIONS.
MAIS PAS PLUS QUE SON PRÉDÉCESSEUR, IL N'ESSAYA DE RÉFORMER LES FORCES DE L'ORDRE.
DE MÊME, UN RAPPORT VISANT NOTAMMENT À AMÉLIORER LES RELATIONS ENTRE LA POLICE ET LA POPULATION POUR LEQUEL J'AVAIS ÉTÉ SOLLICITÉ RESTA LETTRE MORTE.
QUELLE POLICE POUR DEMAIN?

AU COURS DES ANNÉES QUI SUIVIRENT, LES PRATIQUES POLICIÈRES DEMEURÈRENT POUR L'ESSENTIEL TELLES QUE JE LES AVAIS OBSERVÉES.
POLICE
ON NE MIT JAMAIS EN PLACE LE RÉCÉPISSÉ DE CONTRÔLE D'IDENTITÉ POURTANT PROMIS PENDANT LA CAMPAGNE PRÉSIDENTIELLE.
POLICE

LES SEULS CHANGEMENTS NE FURENT PAS LE FAIT DES GOUVERNEMENTS MAIS D'INDIVIDUS ET D'ASSOCIATIONS QUI DÉNONÇAIENT LE PROFILAGE ETHNO-RACIAL.
STOP AU CONTRÔLE AU FACIÈS
AU TERME DE QUATRE ANS DE PROCÉDURES JUDICIAIRES, LA COUR DE CASSATION CONDAMNA L'ÉTAT POUR FAUTE LOURDE DANS PLUSIEURS CAS DE CONTRÔLE AU FACIÈS.

L'ANNÉE SUIVANTE, LE DÉFENSEUR DES DROITS MONTRA CEPENDANT QUE LES JEUNES HOMMES NOIRS OU ARABES AVAIENT TOUJOURS UNE PROBABILITÉ VINGT FOIS PLUS FORTE D'ÊTRE CONTRÔLÉS QUE LE RESTE DE LA POPULATION.
KEVIN - 15 ans
Contrôlé 5 fois
MONTEREAU (77)
STAN
38 ans
CONTRÔLÉ 0 fois
2 poids, 2 mesures ?

LA CHRONIQUE DES VIOLENCES À L'ENCONTRE DE JEUNES DE QUARTIERS POPULAIRES SE POURSUIVIT ÉGALEMENT.

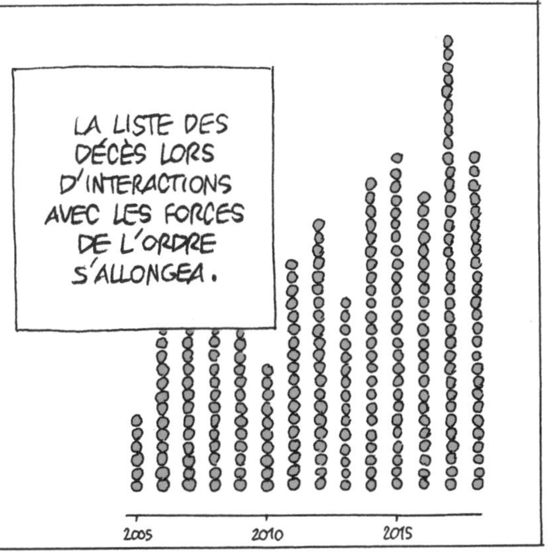
LA LISTE DES DÉCÈS LORS D'INTERACTIONS AVEC LES FORCES DE L'ORDRE S'ALLONGEA.
2005
2010
2015

UN JUGE MIT EN EXAMEN POUR VIOL UN POLICIER QUI, LORS D'UNE INTERPELLATION, AVAIT CAUSÉ AVEC SA MATRAQUE DE GRAVES BLESSURES RECTALES À UN JEUNE HOMME D'ORIGINE CONGOLAISE.
LA POLICE TUE ET VIOLE
LES CONDAMNATIONS D'AGENTS DES FORCES DE L'ORDRE RESTÈRENT TOUTEFOIS EXCEPTIONNELLES, MÊME EN CAS DE DÉCÈS.
MAIS QUE FAIT L'ÉTAT ?

MAIS DES COLLECTIFS, SOUVENT CONDUITS PAR DES SOEURS DE VICTIMES, SE MOBILISÈRENT DANS TOUT LE PAYS.
JUSTICE ET DIGNITÉ
STOP À L'IMPUNITÉ POLICIÈRE

BATACLAN
LE PRINCIPAL CHANGEMENT INTERVENU DANS LA PÉRIODE FUT LIÉ AUX ATTENTATS DE 2015.
LA DÉCLARATION DE L'ÉTAT D'URGENCE INTRODUISIT NOMBRE DE RESTRICTIONS AUX LIBERTÉS PUBLIQUES.

LES PRÉROGATIVES DE LA POLICE FURENT ÉLARGIES, EN MATIÈRE DE PERQUISITIONS ADMINISTRATIVES...

...COMME DE CONTRÔLES D'IDENTITÉ QUI POUVAIENT DÉSORMAIS SE FAIRE SUR LA SEULE APPARENCE PHYSIQUE.
CES PRATIQUES SE CONCENTRAIENT SUR LES MINORITÉS MUSULMANES, OU SUPPOSÉES TELLES.

BIEN QUE RECONNUES INEFFICACES, ELLES DONNAIENT À LA MAJORITÉ DE LA POPULATION, QUI N'EN SUBISSAIT PAS LES CONTRAINTES, LE SENTIMENT D'ÊTRE PROTÉGÉE.

LE CONTEXTE FUT DÈS LORS PROPICE AU VOTE DE LOIS ÉTENDANT LES CONDITIONS DE L'USAGE DES ARMES ET LA DÉFINITION DE LA LÉGITIME DÉFENSE.

À LA FIN DE L'ÉTAT D'URGENCE, QUI AVAIT DURÉ PRÈS DE DEUX ANS, UNE LOI EN REPRENANT LES PRINCIPALES MESURES FUT SIGNÉE PAR LE PRÉSIDENT DE LA RÉPUBLIQUE.

CE QUI DEVAIT ÊTRE L'EXCEPTION EST AINSI DEVENU LA RÈGLE.

POLICE
DÈS LORS, LA RÉPRESSION NE TOUCHE PLUS SEULE-MENT LES QUARTIERS POPULAIRES DES BANLIEUES, MAIS AUSSI LES MIGRANTS ET LES RÉFUGIÉS...
... TANDIS QUE LA CRIMINALISATION DE LA SOLIDARITÉ VISE À INTIMIDER LES ACTEURS HUMANITAIRES.

LES VIOLENCES SE BANALISENT AUSSI DANS LES MANIFESTATIONS AVEC L'USAGE DE NOUVELLES ARMES...
POLICE

... FAISANT DES DIZAINES DE BLESSÉS GRAVES PAR PERTE D'UN OEIL, ARRACHAGE D'UNE MAIN, OU TRAUMATISME CRÂNIEN.

SYSTÉMATIQUEMENT NIÉES PAR LES AUTORITÉS, CES PRATIQUES SONT LA NOUVELLE NORME.
L'AUTORITARISME APPARAÎT AINSI COMME LE NÉCESSAIRE COMPLÉMENT DU NÉOLIBÉRALISME.

LORSQUE L'ÉPIDÉMIE DE CORONAVIRUS ARRIVA EN FRANCE AU DÉBUT 2020...
... LE CONFINEMENT DE LA POPULATION FUT DÉCIDÉ ET LA POLICE DÉPLOYÉE POUR LE FAIRE RESPECTER.
UNE FOIS ENCORE, ON PUT OBSERVER LES DIFFÉRENCES DE PRATIQUES...
POLICE

... EN FONCTION DES QUARTIERS OÙ ELLE INTERVENAIT ET DES PUBLICS QU'ELLE CONTRÔLAIT.
POLICE
POLICE
L'ÉTAT D'URGENCE ÉTAIT UNE NOUVELLE LICENCE DONNÉE AUX FORCES DE L'ORDRE.
POLICE

I CAN'T BREATHE
DANS CE CONTEXTE, LE MEURTRE DE GEORGE FLOYD AUX ÉTATS-UNIS...

ADAMA TRAORE
JEUNE HOMME DE 24 ANS, TUÉ LE 19 JUILLET 2016, JOUR DE SON ANNIVERSAIRE LORS DE SON INTERPELLATION
FIT ÉCHO À D'AUTRES MORTS ÉGALEMENT SURVENUES AU COURS D'INTER-PELLATIONS EN FRANCE...

SUSCITANT DES PROTESTATIONS CONTRE LES VIOLENCES ET LE RACISME DANS LES FORCES DE L'ORDRE.
BLACK LIVES MATTE
ADAMA
ADAMA
ADAMA
ADAM
ADAM

EN QUELQUES ANNÉES, LA QUESTION DE LA POLICE ET DE SES DÉRIVES ÉTAIT DEVENUE CENTRALE DANS LE DÉBAT PUBLIC.
STOP VIOLENCE POLICIERE STOP

POUR BEAUCOUP, LES POLITIQUES RÉPRESSIVES DEVENUES LA RÉPONSE DE L'ÉTAT AUX INÉGALITÉS ET AUX DEMANDES DE JUSTICE METTAIENT LA DÉMOCRATIE EN PÉRIL.
POLICE

DIDIER FASSIN
FRÉDÉRIC DEBOMY
JAKE RAYNAL